Людмила Улицкая

Моё настоящее имя

Людмила Улицкая

Моё настоящее имя

Истории с биографией

РЕДАКЦИЯ ЕЛЕНЫ ШУБИНОЙ
ИЗДАТЕЛЬСТВО АСТ
МОСКВА

УДК 821.161.1-09
ББК 84(2Рос=Рус)6-44
У48

Художник Андрей Бондаренко

В оформлении переплета использована картина
Андрея Красулина

Книга публикуется по соглашению с литературным агентством
ELKOST Intl.

Улицкая, Людмила Евгеньевна.
У48 Моё настоящее имя. Истории с биографией / Людмила Улицкая. — Москва : Издательство АСТ : Редакция Елены Шубиной, 2023. — 285, [3] с. — (Улицкая: новые истории).

ISBN 978-5-17-153632-9

Новая книга автобиографической прозы Людмилы Улицкой — это личный, глубоко интимный отчет о встрече человека с самим собой. Время, ограниченное настоящим, поскольку сам факт будущего подвергается сомнению. Мир, сжавшийся до размеров комнаты, где перечитываются книги, листаются страницы дневника, переживаются старые любови и дружбы. Эмоциональная память включает в себя многое, в том числе и черные дыры на месте дорогих людей, ушедших навсегда. И всё это материал, из которого созданы рассказы и мемуарные очерки, составившие эту книгу.

УДК 821.161.1-09
ББК 84(2Рос=Рус)6-44

ISBN 978-5-17-153632-9

СОДЕРЖАНИЕ

МОЁ НАСТОЯЩЕЕ ИМЯ

СКАЗОЧНОЕ

ШЕСТЬЮ СЕМЬ

То, что мне казалось легким,
Оказалось очень сложным,
То, что мне казалось сложным,
Оказалось невозможным.
То, что было невозможным,
Посмотри — в моей руке!

МОЁ НАСТОЯЩЕЕ ИМЯ

Об имени

вот я — какая из меня люся какая улицкая —
не знаю кто…
на ладони будет белый камень с настоящим
именем а паспортное будет
написано на сером камне на немецком кладбище
где мама с бабушкой
а пока пусть будет псевдоним какой угодно
и к этому ночная невнятная молитва
я не люся улицкая это какие-то чужие корябые
как стекляшки звуки
особенно не людмила
откуда взялась людмила я знаю — когда
я родилась мой шестнадцатилетний дядька витя
ухаживал за деревенской девочкой людмилой
и он принес в дом это случайное имя
и его на меня налепили

и я так и не знаю своего настоящего
где-то мелькнула “евгения” в отчестве потом

в фамилии второго моего мужа отца моих
сыновей
все там случайное как броуновское движение…

еще до того как я поссорилась с любимой
биологией и еще не выросла из личиночной
неосознанности еще болталась в первичном
океане воспроизводства — бедная девочка
как несуразно и негармонично вырастает тело
и не догоняет его душа — полжизни провела
в плену незыблемой и ложной идеи
непременного размножения продления себя…
и только к исходу лет начинается понимание того
какое потемочное существование обещает
первобытный бульон с кишением яйцеклеток
и спермиев
и биология с которой я тогда еще не поссорилась
говорила настойчиво и безапелляционно — пора,
пора, пора…
и уже шелковый лоскут образец узорчатой ткани
с итальянской выставки лежит под ногами
и я стою на нем рядом с существом мужского пола
и священник водит нас вокруг маленького
столика прикинувшегося на время аналоем и это
действие называется венчанием и это было
со мной а не с кем другим и кусочек узорчатой
ткани хоть сейчас могу достать из комода
и показать тогда мне казалось что постоять
на узорчатом лоскуте и обойти вокруг шаткого

столика необходимое условие деторождения
тогда я была еще людмилой

востребовано природой было некое существо
мужского пола для продолжения иллюзии
собственного пребывания и после выполнения
этого природного задания —
родились двое детей с отцовской быстротой
реакции ловким юмором несколько жеманным
жестом губ в смехе и с половинной долей моих
наследственных черт разделенных причудливо
и избирательно между обоими сыновьями:
старшему сметливость и целеустремленность
младшему артистизм и способность плавать
неизвестно где в его случае в музыке

не навек случился тот человек —
на двенадцатилетие
а потом я ушла
из этого египта с праздником одиночества
и некоторой невесомости освобождения
с нулевой отметки начинается все новое

потом начинается новый узор жизни
нарисованный другим человеком с крепким
и негнущимся именем
с безукоризненным движением рук умного

без всякого напряжения эгоцентрика
с безошибочным глазом и природным
равновесием здорового молодого животного
не тронутого сомнениями в своей полной
состоятельности
оказывается изредка имя попадает в цель
и не надо ждать иного подлинного

можно понемногу пить тихими вечерами
когда муж андрей уже свое отпил и отгулял
а я на старости лет догоняю до хорошего градуса
под вечер
и ночью пишу слова а он за стенкой давно спит
на чистом полу на бамбуковой циновке
совершенный в своем роде в полноте
искренности и неозабоченности
таков какой есть и ничем иным не может
и не хочет быть кроме как самим собой и все это
в движении карандаша-руки-плеча-камня и бумаги
на которой и я означала дни и ночи
пока клавиатура не победила страшную белизну
бумаги

происходит освобождение от старания от умения
от намерения и тогда только тогда возникает это
“сейчас-сейчас не вчера и не завтра” и девочка
плачущая по серой кошке с которой ее насильно
разлучили и возвращающийся в воркуту как будто
на родину человек прозревающий в длинной

дороге что никакой родины не бывает а есть только
окно из которого видно первое дерево и веревка
на которой сохнет под ветром ветхое белье
раскидывая рукава и штанины и спит тело
в теплушке забыв куда и зачем оно стремилось
о чем мечтало на стыках рельс стонет вагон
и летит неизвестно куда
Аминь

с этой сегодняшней ночи мне хочется писать
только так
только так но этому нельзя научиться для этого
надо разучиться…

мама запрещала называть бабушку иначе чем
леночка — так маме хотелось сохранить ее
молодость но сохранилась только фотография мы
втроем сидим на круглоспинном диванчике
молодая бабушка юная мама и я пятилетняя
бабушке сорок восемь или около того много
моложе чем я сегодня и сбоку видна лампа белая
фарфоровая столбиком в лилово-розовых
модерно-выдуманных цветах которая сейчас
светит мне на подушку

крупная статная ширококостная большегрудая
бабушка леночка с короткой шеей плотными
ногами и хвостиком кудрявых волос

подколотым на шее как тогда носили и в шляпе
в ее старости я сама коротко стригла эти
седеющие кудряшки и маму тоже стригла
кудрявых стричь легко промахи ножниц
не видны…
зубы прекрасные до старости и смех обнажающий
ровный ряд “сплошных” как толстой придумал
для вронского зубов
она хорошо смеялась особенно когда приходила
к ней нездоровой толщины сестра соня тоже
крупнозубая но у той еще были большие темно-
красные ногти на толстых пальцах…

надо дарить девочкам подарки бабушкина сестра
соня мне подарила вязаное платье малиново-
лилового небывалого по тем простецким
временам цвета — привезла после войны
с рижского взморья я запомнила взлетающее
слово взморье
в этом платье я постановочно обнимаю
в фотоателье другую соню — прабабушку
с отцовской стороны
на фотографии мне года три

как жаль что теперь фотографий почти не стало
телефоном снимают на минутку
никогда не остается на стене и в альбоме

и вообще нигде никаких следов кроме как
в облаке но туда мы не заглядываем

самая ранняя семейная фотография моего
прапрадеда исаака хаимовича гинзбурга висит
на стене на этой фотографии он старик в кипе
следовательно даже если его и крестили когда
брали в школу кантонистов то к старости он
вернулся в лоно иудаизма после двадцати пяти
лет солдатской службы
георгиевский крест который он получил за взятие
плевны в 1878 году я в дошкольном возрасте
вытащила во двор похвастаться и он ушел
навсегда из дому…
молодых фотографий исаака нет и быть
не могло — фотоателье еще не народились
с возрастом у евреев всегда путаница никогда
не знали как мальчика записать на два года
раньше или на три года позже

много софий в семье кроме этой прабабушки —
еще мать моего деда якова которая жила
в ленинграде в пятидесятых годах
у своей дочери раи
она никогда не ела конфет а собирала их чтобы
отправить в лагерь сыну якову моему деду
не знаю доходили ли до него эти конфеты…

в конце жизни эта прабабушка соня жила
на остоженке у своего внука сани ревзина одного
из первых в стране лингвистов…
путаются эти семейные линии одни обрывки

еще была другая сонечка со сложным родством
тетка бабушки лены годами была младше
племянницы
что бывает когда дочери уже начинают рожать
а матери еще не кончили
эти племянница и тетка вышли замуж за двух
братьев и прожили почти всю жизнь одной
семьей в одной квартире
сонечка была высокого роста полногрудая
на длинных ногах
немного сутулилась и домработница говорила
у елены марковны фигура городская а у софьи
львовны деревенская
фраза загадочная я бы сказала как раз наоборот

домработницы вербовались из бежавших
от колхозов девчонок
у бабушки лены была своя формула жизни —
новую домработницу отдавали в вечернюю школу
где она заканчивала седьмой класс а потом
выходила замуж за милиционера или домоуправа
часто бывало лимитчика и взамен себя присылала

из той же деревни младшую сестру либо
соседскую девчонку и так далее
я помню четырех таких девочек

застолье на каляевской в большой столовой еще
не разделенной пополам поперечной стеной
при разрастании семьи было многолюдным
сколько человек собиралось за обедом ужином
праздником на еврейскую пасху и на новый год:
прадед хаим его сыновья боба и юлик невестки
леночка и сонечка и их дети мируша витя и шурик
трое детей на две пары
при двух выросших мальчиках вити и шуры —
две их русские жены таня и тамара
моя мама мируша со своим мужем моим отцом
женей и я
мои двоюродные братья еще не родились
получается двенадцать
двенадцатая я люся

за пасхальным столом правил мой прадед хаим
маленький беленький со слезящимися бледно-
голубыми глазами он читал на незнакомом языке
стихи как мне казалось
это и были стихи из торы таинственный язык
и маца на пасху особый кусочек мацы (афикомон?
или в этом роде) прятали а я его искала находила

и мне за него давали подарок-выкуп не помню
точно какой
нет один подарок помню часы — дядя витя
подговорил меня попросить в виде выкупа часы
ты что с ума сошел — изумилась я — часы ясное
дело не детская драгоценность но это был заговор
и я попросила часы
и прадед надел мне на руку часы в виде
коробочки на кожаном тонком ремешке прадед
был часовщиком и собрал из разного старья такие
часики которые в общем кое-как тикали
тикали недолго я вышла во двор стали играть
в нечто вроде кругового волейбола один мальчик
прицелился и ловко бросил мяч прямо в часы они
разлетелись и только коробочка на ремешке
осталась на моей семилетней руке а все пружинки
и колесики высыпались на землю вместе
со стеклом

после моего рождения в нашей семье пошли
мальчики только мальчики мои двоюродные
юра и гриша троюродный олег
потом у этих мальчиков еще четверо мальчиков
плюс моих двое алеша и петя и у алеши трое
марк лукас и лаврик итого двенадцать
мальчиков и после них одна девочка петина
дочка марьяна названная в память не дожившей
до внуков моей мамы сильные были женщины
в семье

а пол определяется носителем *Y*-хромосомы
то есть мужчиной
кажется у народов живущих в тяжелые военные
времена всегда рождается больше мальчиков
только не в нашей семье
как я могла забыть и как важно что я вспомнила
когда отмечали еврейскую пасху в какой-то
момент все подходили к входной двери
и приоткрывали ее чтобы ангел вошел
надо это проверить в последовании песаха
а то всё слова и слова
а здесь прекрасное действие — тихо входит ангел

за деньги покупают керосин и мороженое я точно
знала
потому что мы с прадедом ходили в керосиновую
лавку он с бидоном побольше а я с маленьким
а потом мороженое покупали — всё за деньги
я еще не поняла что деньги нужны чтобы на столе
стояла еда
но уже знала что деньги нужно давать в долг
соседям
к бабушке ходили к маме ходили и ко мне когда
выросла ходят одалживать
но я до сих пор не знаю в точности
что такое одалживать и занимать
в каком случае дают в каком берут
мы считаемся богатыми евреями и обычно даем
это роскошь богатства

позже пришло понимание что деньги нужны
для спасения жизни
а еще позже понимание что есть вещи
которые ни за какие деньги не купишь

а спустя еще какое-то время мне умные люди
объяснили
что все жизненные проблемы
которые разрешаются "путем денег" —
вообще не проблемы а расходы

на этом месте сделала открытие
когда отдаешь в долг нельзя рассчитывать
на то что вернут
потому надо давать ровно столько
сколько не жаль потерять
но давать не в долг а просто так мне нравится
больше

денег я боюсь и не умею с ними обращаться
но они ко мне хорошо относятся
и всегда более или менее были есть и наверное
будут — времени жизни уже меньше чем денег
я люблю когда они есть в кармане

деньги дают некоторую прочность и уверенность
впрочем вполне ложную

да про разбитые часы
я пришла домой в великом горе зареванная
положила на стол остатки часов и пошла
доплакивать
на бабушкин круглоспинный диванчик
там от слез и заснула
прадед часовщик почти слепой
вытащил длинную фарфоровую коробочку
в которой лежали тонкие железочки
поковырялся с ними и положил починенные
часы на то же место
только трещинку на стекле не смог убрать
я проснулась — часы тикали
дед-то считался слепым
и я поняла как он всех обманывает
и потрясена была не столько ожившими часами
сколько вскрывшимся обманом:
деда, так ты не слепой
Аминь

я смутно знаю что будет потом —
немного моего "я" сохранится
но только лучшая отредактированная часть
остальное вычистится и отлетит как пыль
а внешне я останусь на себя прежнюю похожей
но тоже отредактированной
знаю что останется детское выражение лица
которое долго чуть ли не до конца на мне
лежало
и руки кисти останутся

и свобода движения которая
только к старости во мне проснулась
обычно бывает наоборот
но меня неуклюжесть всяческая покидала
с годами
как покидает меня теперь память на то
что произошло недавно
и по мере ее растворения улучшается слух
но только на музыку которую к старости стала
слышать
а детские и женские высокие голоса хуже
всего воспринимаю
внук лаврик звонит каждый вечер
и писк его голоса не очень мне внятен

А МОЖЕТ БЫТЬ, БЕЗ ХРОНОЛОГИИ...

Прогулка в Тимирязевке

вот так отложив перо
от клавишей оторвавши пальцы
оставив узор как есть
зажатым в двойные пяльцы
увидеть вдруг под собой мир
как космонавт Гагарин былой кумир...

душа не говорит словами ни с кем
ни с вами и ни с нами
лишь оговорками и снами
ведет свой тайный разговор
и всё про вздор про вздор про вздор
посылают еще сигнал который не понимаешь
и шлют еще повтор повтор
но стоит забор
через который ничего не перекидаешь…

доброе утро медленное как забытый сон
складываю буквы в слова
варю андрею суп
пишу письмо ем и пью
слова и слова до вечера
в перерывах смотрю на клен из спальни
и на липу из кабинета
от десяти до двенадцати одолевает слабость
потом до двух тутуола или хаджимурат
сон нейдет до четырех
считаю от одного до ста и обратно
сны важнее яви но не запоминаются
и снова доброе утро медленное как забытый сон
складываю буквы…

вот такие дорожные наблюдения —
прошла пять километров всего-то

вся страна тимирязевка
валежник сухостой гнилые пни

днем комарья тучи
вечером светляков огни
так было всегда —
прекрасные мы и злые они
в одном котле в одном говне

эти меньшие братки качаются в тимирязевке
а старшие братки живут на кипре у моря
где пирс чист и воздух душист
там кагебист здесь кагебист
в тимирязевке гниет палый лист
поваленные стволы беспризор безнадзор
кроты выглядывают из нор
это родина моя мой позор

тот гавел у которого не кадиллак самокат
а у кого кадиллак — скорей всего вор и кат

сложена как венера толстовата на наш вкус
ей бы сесть на диету гимнастический курс
для похудания спортивный контроль
сбросить вес доволен будет гермес

* * *

пришел денег одолжить захарка
сын юры моего покойного первого мужа
умершего в тридцать шесть лет
но я от него ушла лет за десять до его смерти
захарка мой крестник а юра крестился незадолго

до смерти
мы были тогда в плену христианства
не могу сказать что очень сладком но
притягательном
в двадцатые годы прошлого века
дети интеллигентных родителей
так точно вступали в комсомол
до беспартийности надо было дорасти

сколько-то лет тому назад иду по двору с катей
а навстречу люда
говорю знакомьтесь
это катя вторая жена моего первого мужа
а это люда пятая жена моего второго мужа
такая открылась формула в восьмидесятых
наши родители разводились иначе — насмерть

раннее утро в постели
сладкие часы никуда не спешу
карантинная свобода от дел
домоседство
но болит сердце по утрам
и днем болит тоже
но не замечаю по занятости
решила было все органы лечить
а сердце не лечить
потому что от сердца смерть быстрая
но я не предполагала что оно будет

так долго и нудно болеть
думала — раз и все
так нет ведь

НИКАКОЙ ХРОНОЛОГИИ
ОНА ЗАКОНЧИЛАСЬ ОКОНЧАТЕЛЬНО

* * *

жизнь как круглое озеро
и все его берега одновременны
или как пуля пролетевшая
почти весь свой путь
и траектория клонится вниз вниз
а потом — бабах! — взрыв

* * *

иногда читать почти так же приятно как писать
сегодня экзотическое чтение —
два рассказа шолохова
юра фрейдин сказал что он хороший писатель
наверное
но больше не хочу про казаков и казачью жизнь
пожалуйста набокова в крайнем случае бунина
антропологию очень люблю
но про масаев тунгусов и австралопитеков
а не про казаков

они слишком близко громко и погромно
и тихий дон перечитывать не буду
много ему с его казаками чести

а вчера позвонил никита и сказал что юра
фрейдин умер
он мой ровесник девять дней разница в возрасте

и женечка колесникова умерла в тот же день — ей
было тридцать четыре

бабушка умерла хорошо в восемьдесят восемь
лет
болела всего месяц наш семейный рак
мы с дядей витей попеременно сидели с ней
я днями а он ночами
в июне это было — ей принесли клубнику
и она сказала какая я счастливая мне старухе
дети приносят клубнику в июне
умерла дома отвезли в морг
а в гробу она лежала с приоткрытыми глазами
и с ужасно сшитыми темной ниткой губами
на вздохе умерла рот открыв
она была прекрасна в жизни
с неизменным и точным чувством
собственного достоинства
Аминь

коронавирус подвигается к нам
и последствия его непредсказуемы
и в любом случае никакого блага не принесет
но возможно выживший остаток
выйдет благоизменившимся (неологизм?)
будущее непредсказуемо как и прошлое
из которого мы сами отбираем что хотим
а чего не хотим отбрасываем
под утро полу-приснилось полу-пришло в голову
что надо написать вам дети мои
все что я знаю о своих предках

по еврейской библейской традиции
родословие ведут по мужской линии
"Авраам родил Исаака..." и так далее
но женское родословие надежнее —
женщина лучше знает
кто отец ее ребенка

моя мама выбрала себе имя сама
когда получала паспорт
назвалась заграничной марианной
за красоту и близость к имени мириам
которым ее назвали при рождении
дома ее звали мирочка мируша
она была птичьей хлопотливой породы
по-толстовски "не удостаивала быть умной"
но обладала природным даром радоваться жизни

веселой энергией
и чувством молниеносного сострадания

странная мысль пришла мне в голову
вся семья ходит с какими-то надуманными
именами
мама не марианна а мириам
бабушка наверняка не елена а как-то иначе
по-еврейски дед не борис а бейнус
прадед не ефим а хаим
даже дядя витя был наречен авигдором
но они-то хотя бы знали
как их звали по-настоящему

а я ношу свой псевдоним людмила
в честь людмилы княгини чешской
убитой своей невесткой
а настоящего имени своего не знаю

мне было лет девять
мы с мамой зашли
в сапожную мастерскую
где за старинной швейной машинкой для обуви
(была такая суперпрофессиональная
зингеровская — детали случайно застрявшие
всегда важнее тех
которые мы считаем значительными)

сидела бледная женщина лет сорока в черном
халате
все знали всех — продавщица в булочной
сапожник участковый милиционер
все дяди и тети
полудеревенская слободская жизнь
и правда рядом Новослободская
с трамваем до Савеловского вокзала…
тетку в черном халате мама назвала
по имени-отчеству
но оно не отложилось в памяти
а разговор сохранился:
— что-то вы очень бледная… имя-отчество…
— все живот болит и болит и днем и ночью
извелась, Марианна Борисовна…
— так надо рентген сделать
приходите ко мне в институт
у нас хорошие рентгенологи…
а я засранка получаю в это время великий урок
жизни
но еще не понимаю что это за урок:
стою и дуюсь — чтой-то мама эту чужую простую
тетку
к себе в институт приглашает лечиться
не родственница не подруга а вроде
домработницы
мамочка, я люблю тебя до сегодняшнего дня
и за этот разговор тоже
сорок шесть лет тому назад умерла…
ужасно рано в пятьдесят три

на гребне последней волны последней любви
Аминь

с детства мне хотелось быть лучше чем я есть
и порой совершала поступки
лучше тех на которые была способна по природе
наверное хотела нравиться
мне и сейчас нравится нравиться
но я улыбаюсь когда это за собой замечаю —
детская черта

мои самые ранние воспоминания:
я только-только научилась ходить
мама говорила что я пошла рано в девять
месяцев…
вот я иду с трудом без чувства большой
уверенности
по домотканой дорожке по направлению
к высокой этажерке
передо мной катится мяч
он раскрашен в четыре доли
одна точно красная другая синяя
мяч катится передо мной
я хочу его догнать но это трудно
я хочу прежде мяча дойти до этажерки
все — обрыв пленки
так всю жизнь и иду
к этой значительной этажерке…

второе раннее воспоминание:
я в доме у бабушки лены
где проводила очень много времени
стою опершись руками о кушетку покрытую ковром
и набираюсь решимости чтобы добежать
до белой голландской печи
это метра два-три —
бегу выставив вперед руки
и ладонями упираюсь в печь
она горячая ладони чувствуют ожог
думаю что именно благодаря
этому первому яркому ощущению боли
я и запомнила эту героическую пробежку…
и потом как лизнула на морозе
железную ручку входной двери…
как страшен мир как жгуч и интересен

та кушетка покрыта ковром
на кушетке лежит мой прадед
по-домашнему дедушка хаим
с паспортным псевдонимом
ефим исакович гинзбург
он не всегда лежал на кушетке
иногда вставал надевал на себя
шелковый белый талес с черными полосками
брал в руки книгу и молился:
ходил по комнате взад-вперед с книгой в руках
я сидела под большим столом

и старалась ухватить его за кисти талеса
а он с притворной строгостью
через улыбку отмахивался от меня
от этого талеса у меня сохранился
шелковый футляр
единственная материальная память о нем
да потрепанная Тора двуязычная
вильнюсского издания конца позапрошлого века
стоит на самой верхней полке стеллажа
где все ненужное
я была первая его правнучка
до следующих правнуков
трех мальчиков он не дожил
и любил меня неделимой любовью

помню прабабушку розу хаима жену
маленькую хорошенькую очень беленькую
и в белой рубашке
поднимают ее с большой постели красного дерева
(тумбочка от этого гарнитура
подаренного бабушке на свадьбу
до сих пор у меня на кухне
а кровать я давно загубила выставив на балкон)
прабабушка стоит расставив тонкие худые ножки
из нее брызжет пенистая желтая струя
прямо в белый горшок,
который кто-то держит перед ней
а во мне впервые просыпается
чувство собственничества это мой горшок…

и больше я ничего о ней не помню
только эта одна-единственная картинка
умерла она в сорок пятом году
мне было года два-три —
одно из первых воспоминаний

на этой же постели спустя несколько лет умирал
и прадед
я уже не один раз описывала этот
важнейший в моей жизни момент:
соприкосновение со смертью любимого человека
и вообще первое приближение к точке
которая с годами становится все более важной
а картинка эта не только не мутнеет
а становится все четче
прадед лежал на этой самой кровати и умирал
вокруг него собралась вся семья:
два его сына, две невестки и дядя витя
и дядя шурик
и еще кто-то кого не помню
мама привела меня с улицы прямо в шубе
в комнату
дед совсем уже уходил
и глазами смотрел уже в ту сторону куда шел
и тут его стали тормошить:
дедушка дедушка люсенька пришла
и он как будто вернулся издалека
не сразу нашел меня глазами улыбнулся
и сказал какая большая девочка

шурик который тоже был тогда в комнате
много лет спустя мне сказал
что это не все что дед тогда сказал —
какая большая девочка все будет хорошо
но про “хорошо” я не запомнила

тут мама взяла меня за руку и повела домой —
у нас была отдельная комната в коммуналке
в соседнем доме
мама по дороге плакала
и я понимала что произошло что-то важное
слов “умер” “смерть” при мне не произносили
о том что он умер мне во дворе сказала девочка
несколько дней спустя:
это твой дедушка умер нет я сказала
да сказала она —
в вашей квартире дедушка умер
и я поняла чтó от меня скрыли
Аминь

во дворе жила еще одна еврейская семья,
помню толстого противного мальчика и его
бабушку
сидящую в кресле возле кривой задней двери
убогой одноэтажки
и при мне разговор между прадедом
и моей бабушкой леной его невесткой
он говорит что хорошо бы ему жениться на этой…

не помню имени…
сейчас задним числом понимаю
что старушка сделала ему предложение
бабушка лена перекусив нитку — что-то
подшивает —
говорит папа зачем это вам
мы вас любим ухаживаем за вами
а чужая старушка в доме нам не нужна…
и прадед послушно кивает:
да да леночка…
было такое обыкновение у этих древнееврееев
соединять одиноких стариков
чтоб не скучали что ли…

красивая история
я из хорошей семьи я знаю это про моих стариков
во всяком случае про бабушку лену и прадеда
хаима — благотворительность пошла
от еврейской семейственности
была девочка женя безотцовщина
родившаяся у прадедовой родственницы иды
в ленинграде
никто ее никогда не видел
прадед посылал ей свою пенсию
потому как дома его кормили поили
и деньги ему не нужны были
девочка была моложе меня года на три
и ей кроме дедовой пенсии
посылали мои вещи когда я из них вырастала

адрес их помню по сию пору
канал грибоедова дом шестьдесят три
ида присылала благодарственные и подробные
письма
про свою дочку какая она прекрасная
а потом прадед умер и я помню
как моя бабушка лена много лет ходила
каждый месяц на почту и посылала
сумму равную прадедовой пенсии
этой иде до того времени
как девочка женечка не закончила институт
Аминь

и еще вот прадед ведет меня в детскую группу
на миусы
не на сквер куда мы ходили группово гулять
а на квартиру к нашей бонне анне юлиановне
с немецким языком — гутен морген данке шён
о майн гот…
дед нес военно-послевоенные судочки с обедом
мы всей группой у бонны обедали после
прогулки —
саша хелемский маша и таня алигер и мальчик
которого я плохо запомнила но имя
сохранилось
в уголке памяти — миша озеров
все писательские детки кроме меня
а я неписательская попала по случаю дружбы
моих родителей с семьей якова хелемского

фронтового поэта — снимали пополам дачу
в кратове…
долгое время хранилась фотография —
сидим мы с сашей трехлетние рядом на горшках
с приветливо-безмятежными лицами
а потом повзрослели и окончательно поняли
разницу
между М и Ж и стали пи́сать отдельно
хелемский сегодня придет ко мне ужинать
у него брак на удаленке жена-гречанка живет
в своей греции
а самолеты не летают
я котлеты пожарила и суп сварила

НЕТ, НЕТ, НИКАКОЙ ХРОНОЛОГИИ, КАК БОГ НА ДУШУ ПОЛОЖИТ

первый мой дом был бабушкин —
уплотненная квартира на каляевской улице
которая прежде была долгоруковской
и теперь снова долгоруковская
“родовое гнездо” во флигеле
второй этаж лестница винтовая
квартира почти барская почти
не коммунальная —
подселили одно еврейское семейство коганов

кажется еще до войны в крайнюю от входа
комнату
мирное сосуществование омраченное
тайным раздражением или завистью
или дело было в том
что ася коган была дочкой резника
и соблюдала кашрут
а наша семья не соблюдала
тем более что бабушка в гимназии
проходила домоводство
и ее научили что лучшие котлеты
следует делать из трех сортов мяса —
говядины баранины и свинины
а это достойно только презрения
со стороны настоящих евреев

при кухне был чулан
в котором спала домработница
а под винтовой лестницей тоже был чулан
там стояли бывшие вещи —
золоченый столик трельяж
бессмысленный антиквариат

в столовой за большой стол
садились по воскресным дням
от девяти до двенадцати человек не меньше
домработница вносила супницу
потом блюдо со вторым

за стол она не садилась
когда я много позже спросила бабушку
почему домработниц за стол не сажали
она ответила неожиданно:
да они стеснялись при нас есть
им на кухне было гораздо удобнее
ели все ложками сколько влезет
иногда из общей посуды

помню настю самую старшую из всех домработниц
она попала в наш дом тайно беременной
от предыдущего хозяина
живот ее был подвязан при найме полотенцем
чтобы было незаметно
родила девочку и сдала в дом ребенка
навещала ее каждое воскресенье
а когда девочке исполнилось пять лет
настя вышла замуж за вдовца с пятью детьми
и забрала наконец свою дочку
однажды я помню пришла настя в гости
со своим мужем и несколькими детьми
бабушка их принимала как хороших гостей
в столовой накрыла стол и сама подавала…
Аминь

палатка была большая на восемь девочек
это была практика в чашникове после первого
курса биофака

маленькая армянская женщина знакомила нас
с растениями называя их по имени и фамилии
как людей
триста растительных лиц мы должны были
запомнить и сдать
а другой преподаватель знакомил с птицами
их голосами и характерами
но полюбила я только ворон гораздо позже
сначала как соседей — они свили гнездо
напротив моего кухонного окна
и я наблюдала за ними весь тот сезон
и глаз не могла отвести
от их осмысленной и умной жизни
теперь дерево это подрезали
и как раз спилили ту развилку между ветвями
где каждый год устраивали вороны гнездо
теперь они живут с другой стороны дома
там больше деревьев и выбор их правильный
но теперешнее гнездо не так близко к окну
и разглядывать их жизнь стало труднее

кабинетная швейная машинка зингер
подаренная бабушке на свадьбу в 1917 году
стоит теперь у меня как предмет мемориальный
я давным-давно сама не шью
и вообще ношу вещи десятилетиями
и к новым долго привыкаю
машинка была кормилицей семьи все годы
что дед сидел в лагерях

и после его возвращения тоже
машинка пережила вместе с семьей эвакуацию
бабушка шила на людей не на местных конечно
а на таких же эвакуированных
больше перешивала и перелицовывала
у нее были руки и глаз

старость обезобразила ее прекрасные умные
руки
налезающими друг на друга буграми суставов
и скрюченными пальцами
а зрение до конца держалось
бабушка елена закончила гимназию
с золотой медалью — значок памятный у меня
хранится — витая монограмма КЖГС —
калужская женская гимназия саловой
бабушка хотела пойти учиться
на высшие женские курсы в москве
но дома ей сказали что отпустят
только если она выйдет замуж
и привели жениха который ей очень
понравился
поженились переехали в москву —
ученья не получилось
потому что через год в 1918 году
родилась моя мама
а не родилась бы — и меня не было
и вас, мои дети и внуки

в квартире на каляевской было пианино
перед ним крутящийся табурет
а на полированной спине пианино подсвечник —
он и сейчас стоит на пианино у меня в доме
но того пианино след затерялся
при расселении бабушкиной квартиры
а тот инструмент что стоит у меня
сын алеша подарил мне на день рождения
несколько лет тому назад
все в доме играли и дед и дядя витя
только бабушка не играла
зато она работала бухгалтером
в музыкальной школе
куда и меня отдали
учила меня анна даниловна артоболевская
вырастившая много музыкальных гениев
из обычных вундеркиндов
но со мной ничего не получилось
мне больше всего в музыке не нравилась
черная круглая табуретка
она была холодная и липкая
а колготки в те годы еще не изобрели
и потому голая часть ноги между концом чулок
и началом штанов прилипала к табуретке
и это было очень противно
тут я заболела туберкулезом
и мне назначили больше гулять
и меньше играть на пианино
сейчас на пианино играет кое-как сын Петя

он гитарист
замечательно играет внук Лукас
когда изредка приезжает
и я иногда прикасаюсь к клавишам
с каждым годом музыку слушаю
все больше и больше

помню круглый золоченый столик
на котором стоял телевизор
чуть ли не первый в нашем дворе
приходили мои дворовые подружки
посмотреть на эту диковинку под названием квн
с большой линзой перед маленьким экраном

боже какая космическая скорость
во времена моего детства
было всего несколько новинок вроде телевизора
да и телефон в квартире был редкостью
Д-1-11-58 незабываемый наш номер
таких личных телефонов на весь двор было два...
а сегодня кошмар мобильного телефона
за которым возвращаешься
если забыл дома даже
когда идешь за хлебом на пятнадцать минут

новые вещи топорщатся и страдают
приживается в моем доме только старье —

из дома двух покойных бабушек мамы отца
андрея а также с помойки —
столик возле кровати и одно кресло…
были такие времена
когда старинную мебель выбрасывали
чтобы заменить ее чешским гарнитуром
в прихожей у меня стоит в сложенном виде
ломберный столик который я купила
у княгини волконской
за очень маленькие деньги
лет пятьдесят тому назад
надеясь что отреставрирую
но так до сих пор и не отреставрировала
диких денег стоит реставрация
столик стоит с подвязанной кое-как ногой
и служит — на нем лежат шарфы письма и ключи
а сегодня еще пачка одноразовых масок
и резиновых перчаток
они должны друг друга ненавидеть —
красное дерево ампир с шахматным
и еще каким-то полем на верхней доске
и эта одноразовая дребедень

первый знакомый мертвый человек
нина костикова
бледная высокая девочка с водянистым лицом
из моего первого класса
она перестала ходить в школу перед новым годом
и больше никогда не пришла

после нового года нам сказали что она умерла
весь класс пошел на похороны в соседний барак
на кухне со множеством маленьких столов
стоял на табуретках гроб
и было много людей и много красивых
бумажных и восковых цветов
они показались мне гораздо более красивыми
чем живые
и мы весь девчачий класс
медленные и скованные страхом подошли
к гробу в котором лежала еще более высокая
и еще более бледная нина костикова
и каждой из пришедших девочек дали по конфете
Аминь

надо позвать человека говорили у нас дома
когда ломался звонок падал карниз или засорялся
унитаз
приходил человек водопроводчик и человек
слесарь
и человек плотник и человек стекольщик
все мужчины в семье были совершенно безрукие
даже мой прадед-часовщик
а ведь казалось бы тоже ремесленник
памятник этой безрукой враждебности к материи
стоит у меня в прихожей
эта наборная шкатулка орехового дерева
с остатками перламутровой инкрустации
поверху порубленная топором не окончательно

а слегка но очень густо
я-то знаю кто это проделал и зачем —
на каляевской было печное отопление в пять печей —
в ванной для подогрева воды в колонке
в коридоре в спальне в столовой
и в комнате у тети сони
прадед любил топить печи
садился на скамеечке перед печкой
аккуратно укладывал рыхлым штабелем
наколотые в сарае поленья
а потом на этой самой шкатулке
маленьким топориком а то и большим ножом
отщипывал от полена щепочки
прямо на крышке этой драгоценной шкатулки
как его рука поднималась
до сих пор понять не могу
потом он под поленьями поджигал в печке
маленький костерок из щепок и стружек
огонь занимался и печь начинала гудеть

а какими привлекательными мне казались
те мужчины которые приходили и чинили
замок дверь и все
что требовало мужской умной руки
не надо мне доктора наук я сама умная
пусть рядом будет человек
с умными руками умным глазом
ну так и получилось —

вошла я в мастерскую
а там художник гостей супом кормит
но одной ложки не хватает
он взял деревянную чурку и топор —
раз-раз — и ложку вырезал
ну я за него и вышла замуж
правда не в тот самый момент
а лет через двадцать
теперь его не допросишься
венский стул переклеить
а ведь все может…

когда моему сыну пете было лет пятнадцать
мы с ним случайно попали в бабушкину квартиру
алеша был в это время уже в америке
связь была сложная он присылал письма
с оказией —
привезшие письмо люди жили
в доме двадцать девять
по каляевской соседнем
с бабушкиным тридцать первым
поехали мы с петей за письмом
я письмо забрала и решила показать пете
наш старый дом
поднялись мы на второй этаж по винтовой
лестнице
остановились у двери
я ее толкнула открыто зашли
здесь в коридоре говорю стоял книжный шкаф

красного дерева…
там столовая там комната бабушки…
тоже открыто мы заходим —
большой стол посреди комнаты
на нем трава какая-то
вокруг стола четверо траву фасуют по кулечкам
ох, думаю, сейчас пулю в лоб получим
изо всех сил улыбаясь говорю
здравствуйте я в этой квартире
жила сто лет назад
вот хочу сыну показать
люди замерли настороженно
я веду петю к окну — вот говорю
здесь была балконная дверь
но балкон видишь уничтожили
тут бабушкина кровать стояла и швейная машинка
которая у меня теперь стоит…
спасибо, говорю, большое спасибо до свиданья
петька тогда еще про травку и прочее что бывает
ничего не знал так что пожалуй не понял
что эти люди здесь делают…

сначала я влюбилась не в биологию
а в лабораторное стекло
и по сей день люблю стеклянную мелочь
пробирок колб
воронок чашек петри
в биохимической лаборатории куда заходила
с мамой

от этого стекла глаз отвести не могла
когда провалилась на экзаменах на биофак
пошла работать лаборантом
в лабораторию по изучению развития мозга
кроме стекла там оказался еще и великий смысл
так влюбилась что руки стали талантливы
схватывали все
тонкие навыки гистологического лаборанта
как будто это не новое для меня занятие
а воспоминание о чем-то что прежде умела
и забыла
припоминание такое случилось
с микротомом бинокуляром и микроскопом
сразу нашла общий язык
только с электричеством не поладила
так до сих пор с электрическими приборами
сохранились разногласия
даже с утюгом и кофейной мельницей

биологический кабинет в школе был
на четвертом этаже
а рядом со школой был участок на котором
кое-что росло а кое-что гуляло весной
некоторые избранные любимчики биологички
выводили-выносили погулять жильцов
кабинета — кролика черепах и ужа
учительница имя которой я забыла
доверила мне ужа и он обвил мою руку
от кисти до локтя

прикосновение змеиной кожи было холодным
и страшным
а вчера у иры на даче возле тинистого прудика
на участке нашли выползок —
там живет целое семейство ужей
выползок был прозрачный в маленьких ромбиках
и весьма драгоценного вида
нет нет нет — никогда
никакой обуви сумок и прочей галантереи
из змеиной кожи в руки не брала

а в студенческие годы мы с леной лапиной
и еще кем-то третьим на практике
три часа сидели в болоте
и наблюдали как из куколки
выкарабкивалась бабочка
а потом долго сушила крылья
они медленно расправлялись
лена фотографировала мы рисовали
а потом бабочка улетела
вспомнила кто был третий —
галя иванова
надо спросить у нее
какого вида была та бабочка
я не помню

любовь к науке не была взаимной
вынесло меня из ботаники и зоологии

из физиологии и генетики
давно уже не нужна в генетике эта стеклянная дребедень
секвенируют геномы без чашек петри
и предметно-покровных стекол
и в мир молекулярной генетики
меня судьба не пустила
а я все пытаюсь туда заглянуть через докинза
и ридли маркова и асю казанцеву
могу понять приблизительно о чем речь
это не я ее а она меня отвергла
жалко конечно но судьба так сложилась

дорогу в кратово я больше семидесяти лет знаю
стояла пятилетней у станции кратово
с прадедом за ручку и ждала маму из города —
и она выходила из электрички
своей чаплинской походочкой носками врозь
в шелковом платье в облипочку и в черной шляпе
с полями и выросшим сбоку на полях
букетиком искусственных незабудок
и с двумя сумками
восторг восторг — мы стоим не на той стороне
куда поезд подходит а на противоположной
и переходить на ту сторону запрещено
потому что одна бабушка из родственной семьи
которая тоже здесь дачу снимала
как-то переходила под платформой
высунула свою беленькую бедную головку —

и как раз под летящий паровоз
а под платформой осталась полная сумка яиц
которые она везла семье
и все до единого остались целехонькие

и еще не забыть —
уезжаем со съемной дачи на грузовике
в кузове кровати столы стулья и мы с мамой
а прадед в кабине сидит
на нем белые холщовые штаны
а в руках у него авоська в ней утка
это бывший утенок которого мне купили
на рынке в начале лета
я с ним играла и кормила его
он за мной по пятам ходил
но за лето утенок вырос
о том чтобы его съесть речи не было —
как можно домашнее животное есть…
я умолила забрать его в москву
прадед довез утку до москвы в авоське
высунув ее из машины
потому что она гадила
на его белые парусиновые штаны
утка долго жила у нас в дровяном сарае
прадед относил ей еду после обеда
и я помню как после чая дед собирает
остатки какого-то печенья
и просит у леночки банку для чая —
утке отнести

бабушка смеется и говорит
что утки чаю не пьют
ближе к зиме утку из сарая
украли дворовые мальчишки и съели —
они сентиментальными не были

НИКАКОЙ ХРОНОЛОГИИ НА САМОМ ДЕЛЕ НЕТ

хронология явление временное для удобства
заполнения документов
а жизнь круглая просторная направлена не в одну
сторону и не в четыре иногда горизонт
прорывается верх-низ отменяются и ветер
посмертия бьет в лоб

мусорный лес — говорит андрей — он понимает
родители оба работали в институте лесоведения
и у него тоже осталось некоторое понимание
леса —
казанская дорога была самым сосенным местом
подмосковья
но сосен становится все меньше
разнолесье неприведерливый клен осина
и кустарник

у андрея в мастерской завершенный мир
большой красоты и замкнутости —
как будто своя собственная система координат —
верх-низ-горизонталь
и еще одно измерение без названия

день на даче у иры щипачевой в заозерье
озеро даниловщина плавала в пресной воде
впервые не помню за сколько лет
тридцать-сорок-пятьдесят
а в морях в разных сколько угодно —
черном балтийском и более всего в средиземном
то есть в той его части которое лигурийское

какой прекрасный климат континентальный —
зима весна лето осень
ничего этого нет в жарких странах
и как это бедные люди живут на экваторе
без перемен погоды

как я люблю все это зеленое
которое на свободе
а до́ма не люблю
и как раз сегодня вынесла в подъезд
два моих домашних цветка с окна
они случайно ко мне в дом попали
они меня тяготят

потому что надо постоянно помнить
о том что забыла их полить
и чувствовать себя виноватой
теперь они будут общественным достоянием

хотела перечитать гоголя но забыла очки
гоголь лежит со мной рядом
но шрифт ужасный и нечитаемый
хотела посмотреть на весь набор его героев
и выудить их самых сегодняшних —
ноздрев назначен губернатором
манилов работает на телевидении
и сладким голосом рассказывает о будущем
коробочка пристроилась любовницей олигарха
и скупает бриллианты и антиквариат
собакевич размножился и сидит повсюду
хлестаков в президентах
нет не смешно

пришло письмо
на днях привезут урну с прахом
бориса аркадьевича лапина для захоронения
он умер на сотом году жизни
пережив дочь лену на пятьдесят лет
и сына аркашу на несколько
он был последний мой знакомый фронтовик
академик и храбрец невиданный —

история замечательная
как он в пятьдесят третьем году
в самые жидоедские времена
не сокращал двух сотрудниц евреек
несмотря на звонки из академии наук
и требования их немедленно выгнать
был он тогда директором по научной части
в институте
приматологии в сухуми
на фронте такого мужества нужно не было
как в той советской жизни сказать — нет
он оставил этих евреек перевел
в разряд старших лаборантов
а тут сталин помер
и они вернулись на свои должности
был он инвалид
ногу потерял на войне
служил в разведроте —
на мину напоролся
солдаты вынесли
герой был от начала до конца
Аминь

когда с дворовыми подружками
я первый раз в жизни вошла в пименовскую
церковь
чувство совершаемого преступления отлично
помню —

мне еврейке там быть не полагалось
десяти лет мне не было
но глубинное противоречие
между иудаизмом и православием я остро
чувствовала
на этом месте начиналась моя отдельность
от моих дворовых подружек и одноклассниц
а в более поздние годы отдельность эта только
усиливалась
в тот день был какой-то праздник
церковь полна народу запах горящих свечей
и ладана
был волшебным и пели на странном языке
в котором только отдельные слова были русскими
а остальное тревожно-непонятное
что-то вроде зависти почувствовала —
прекрасное и не мое
и пахнет преступлением само мое пребывание
здесь
кто же мог предвидеть
что пятьдесят лет я буду здесь стоять
отзываться на слова которые знала наизусть
а потом легко и безболезненно выйду вон
нет-нет-нет не зря я там так долго стояла
но вынесло меня оттуда в пространство
прекрасно-пустое и свободное

андрей медитирует а я не знаю что это такое
пожалуй был один период в конце школы

когда я приблизилась к этому состоянию
неприсутствия нигде
в десятом классе школа была мне в тягость
к этому времени я уже не была отличницей
занималась физикой и химией с репетиторами
для поступления в университет
и в школе сидела уже не на первой-третьей парте
а на последней
и впадала в состояние похожее на обморок
такая была школа медитации

вот проклятье — чувство долга
не пойму от кого мне достался этот груз?
может от бабушки лены — больше неоткуда
мама все делала что надо не напрягаясь
отец вообще избегал таких неудобных вещей
как чувство долга
прекраснейшая легкость жизни
скользящая поверхность его привлекала
а всякая глубина пугала
всю жизнь от сложности бегал
и счастливейшие часы жизни
пролежал на телогрейке под автомобилем
починяя железные потроха москвича гаечным
ключом
и мама жила не обременяя себя долгами
включая и супружеский
а я урод со своими списками дел обязательств
и обещаний

сны не перестали сниться
они перестали запоминаться
вот сейчас придет с никитой шкловским невролог
и пропишет волшебную таблетку для памяти
и я — глядишь — снова буду помнить сны

просмотрела файл всяких заготовок —
взять бы какой-нибудь взять и закончить
но нет
смысл остался только один-единственный —
перегонять ежедневную жизнь в текст
если этого не делать не останется ничего
один вопрос для страшного суда — для кого еще?

НАДО ЛИ ВЫБРАСЫВАТЬ ВЕСЬ МУСОР,
ЕСТЬ ОПАСНОСТЬ ЧТО ПРОСТО ВООБЩЕ
НИЧЕГО НЕ ОСТАНЕТСЯ

улетела с выправленными документами
в лигурию через рим
с ночевкой в аэропортовской гостинице
в номере где было столько углов
что я не смогла их пересчитать
и бóльшая часть тупые и острые

угадать невозможно
как меня зовут и как тебя зовут
сколько вокруг людей ходят под чужими именами
псевдонимами никами кликухами
и не догадываются об этом
но иногда встречаются люди с подлинными
именами
и сразу это чувствуешь — настоящее имя
скоро скоро уже совсем скоро
мне откроют мое настоящее имя

ПРИЕМ НАДОЕЛ. ДАЛЬШЕ ВСЕ ПО ПРАВИЛАМ.

О теле

Не забыть про оболочки. Их для начала три.
Первая записана на лице новорожденного — нос,
рот, линия лба и ноздрей. Эту первую оболочку,
со временем меняющуюся,
носим до самого конца. Когда подрастает
ребенок,
на него надевают первые штаны и платье.
А потом он, взрослея,
вторую тряпочную оболочку выбирает себе сам.
И тут я выступаю как эксперт — эта вторая
оболочка говорит
и про отношение к себе самому и к миру.
Личные качества проявляются
в выборе цвета, кроя, цены, уместности
и удобства-неудобства.
Пренебрежительно-безразличное отношение
столь же много говорит,
что и капризные предпочтения,

и тонкости выбора галстука, чулок, косметики,
старья или модной новинки.
Третья оболочка — дом,
который выбран, построен
продуманно и чутко или вообще без внимания:
это решение космических задач пространства
и точки в этом пространстве, плоскостей
и объемов. Это героизм стояния в обороне
дома-крепости,
охраны тайны гнезда и гроба.

В этих оболочках есть послание и признание
и есть запирание дверей.
Распахнутый ворот рубашки и туго стянутый
галстук,
зеркальный блеск ботинок и мягкость стоптанных
сандалий, разгороженная криво комната
и стоящий неуместно буфет —
все это знаки личности, ее приметы.
Я читаю эту книгу, я великий шифровальщик
и дешифровщик —
дама в брильянтах и мужчина
с заклеенной газетным клочком царапиной
от бритья,
ненавистные модные джинсы с искусственными
дырами и демонстративные заплаты
на новеньких рубахах,
лейблы споротые и предъявленные.

Гордость, скромность, тщеславие, наглость, смирение —
я узнаю их по сумкам, кепкам, рваным шнуркам
и полированным ногтям. Оболочки опасно прозрачны,
и со мной поосторожнее —
я их вижу.

Про другие оболочки знаю только, что они есть,
но пока не вижу и не читаю.

Тело — первая оболочка, в которой заключено
это самое люся улицкая. Это у всех и каждого —
и надо узнать себя,
свое тело как материальную вещь,
научиться к нему хорошо относиться
и наладить хорошие отношения души и тела.
У меня ушло на это много лет, но не могу сказать,
что научилась.
Чего мне в себе самой не нравится — длинный список.

Начну с короткого — что мне нравится.

Нравится мне в оболочке не так много:
во-первых, кисти рук —
их я унаследовала от бабушки Маруси,
но у нее кисть была поуже.

Руки у меня хорошие, пальцы
длинные, суставы не разбухшие,
но стали очень рельефны синие вены,
сейчас они видны только на правой,
потому что как раз после того,
как я написала слова, что руки мои мне нравятся,
произошла большая неприятность с левой рукой —
неприятность странная и настойчивая:
в первый же день, когда я спустилась к морю
две недели тому назад,
меня слегка полоснула по руке медуза —
красная полосочка, почти незаметная.
Обошлось без последствий —
это было предупреждение.
А за несколько дней до отъезда
снова я налетела в воде на медузу,
и на этот раз она не постеснялась
и здорово меня прижгла в плечо.
Ожог сильный — довольно быстро снимался мазью,
а вот отек от медузьих поцелуев все нарастает.
Рука моя стала совсем слоновья,
и завтра лечу в Москву,
придется, видимо, лимфу как-то откачивать.
Нельзя себя хвалить,
враг из враждебного мира подслушал
и послал на меня медузу.

Руками-то всегда была довольна,
а ногти невзрачные, как у мамы и как у папы —
треугольные, хлипкие и ломкие. Бóльшую часть

жизни мама стригла ногти “наголо”, руки у нее
были жесткие, шершавые, рабочие,
ловкие и без прикрас —
перчаток в своей биохимической работе
не терпела,
они ей мешали и мне тоже: знаю много
женщин,
которые даже посуду моют в перчатках,
а я люблю прикосновение к тому, с чем работаю.

Пожалуй, еще мне нравится моя голова.
О форме, конечно, речь — не о содержании.
Я по воле обстоятельств дважды в жизни ходила
с бритой головой —
первый раз, когда после химиотерапии волосы
начали лезть, я их сама обрила.
А второй раз случайно по собственной
неаккуратности:
в те годы я не стриглась ножницами,
а, выставив нужную длину на бритве мужа,
который бороду ею подстригал,
проходилась по своей голове лезвием,
выставляя отметку один-два сантиметра, чтобы
волосы лежали “бобриком”. Однажды бритва
соскочила,
и первый проход ото лба к затылку обнажил
ровную голую полосу. Пришлось побриться
наголо…

Был какой-то прием
типа букеровского или “Большой книги”,
и я иду себе лысая по лестнице и слышу,
как одна баба другой говорит:
Улицкая как всегда выебывается…

Вообще-то волосяной покров у человека —
эволюционный атавизм;
сохранят ли люди растительность на теле
через тысячу лет, если сохранятся сами
как вид… вопрос.

Про волосы много рассказывает культурная
антропология:
дергаешь за единый волосок, и поднимается
из глубины
великое разнообразие религий, привычек, мод,
диктатур и множество мистических вещей.
К волосам не прикасаются,
их дарят прядями, истребляют целиком,
выдергивают по волоску,
режут, жгут, закапывают в землю, колдуют,
хранят в медальонах.
Когда мне плохо, я стригу волосы.
Что-то ритуальное и древнее —
срезать волосы и выбросить с ними ситуацию.
Не всегда помогает,
но подъем после стрижки ощущаю.

Недавно постригла себя,
а сегодня, видимо, уже надо наголо.
Так тошно...

Волосы с детства были густые и темные,
но не радикально черные,
а хорошего цвета черного кофе.
Слегка кудрявые.
Еврейский мелкий бес около лба —
свидетельство близости к негроидной расе —
проявлялся только в детстве,
а потом прошел почти сам собой. Помню,
что в детстве, когда носила челку, мочила ее
и косыночку повязывала, чтобы была гладкая.
Первый раз постриглась сама
между седьмым и восьмым классом
и одновременно слегка потравила себя перекисью водорода.

Окраска волос в школе произвела большой эффект,
был скандал, даже устроили по этому поводу
классное собрание. Мягкое руководство
собранием осуществляла
замечательная тетка, завуч Александра Петровна,
крашеная блондинка, красивая, ухоженная —
класс туповато молчал — меня не то что
любили,

но я в девчачьей иерархии занимала место
из первых.
Одноклассницы вяло осудили за стрижку,
за узкую и короткую юбку (из маминой
перешитая длиной до колена, что было
по тогдашним временам экстремально).
Под конец припомнили,
что видели меня на улице в обнимку с молодым
человеком.
Ответила я, как теперь думаю, блистательно:
это замечательный молодой человек,
он даже член партии.
Самое смешное, что это было чистой правдой:
Игорь Коган учился в физтехе — туда было трудно
поступать,
пришлось даже поработать два года на заводе:
там он и вступил в партию для облегчения
студенческой карьеры.
Встречала его в Израиле лет семь тому назад,
он в порядке,
живет возле Ирадиона,
а прежде жил на Селезневке.

Несколько лет я волосы коротко стригла,
а потом снова отрастила.
Когда после школы работала
в Институте педиатрии лаборанткой,
уже была не то с хвостом, не то с пучком.

Парикмахерскую стрижку ненавидела
как унизительное насилие:
сидишь в белой простыне с мокрой башкой
перед зеркалом, и оттуда смотрит на тебя
испуганное "не я" —
так до сих пор я и стригу себя сама,

хорошо ли, плохо — не так важно.
Волосы у меня скорее не мамины, а папины,
что стало особенно заметно, когда я стала седеть —
седина ложится красиво, как у отца. А мама
поседеть не успела — умерла раньше.

Заканчиваю с головой и волосами.
Уши мои не вызывали у меня протеста,
они всегда были великоваты,
но мне нравятся люди с большими ушами.
Уши что-то сообщают об их хозяине — я это
чувствую.
Самые маленькие и изящные ушки были
у Любочки,
жены моего покойного театрального поводыря
Виктора Новацкого,
и связаны были с какими-то ее мелкими
недостатками,
а может даже с тайными талантами.

Как раз в последние годы к моим ушам
появилась у меня большая претензия —
стала глохнуть, и время от времени
обращаюсь к ушам с просьбой вести себя
приличней
и не лишать меня окончательно слуха.
Между прочим, поразительно:
по мере ослабления слуха
я становлюсь все чувствительней к музыке
и все лучше ее слышу и понимаю.
Спасибо, уши, я вас люблю
и прошу вас тормознуть по части глухоты
и продержаться подольше.
Хорошо еще, что уши выходят из строя,
а не глаза…

Дальше — шея. У всех в маминой семье короткие
шеи, самая короткая была у мамы.
Мне немного длинношеести прибавила бабушка
Маруся. Спасибо.

Все детство я очень горевала, что похожа на папу,
а не на маму. Она была очень красивая. Все было
в ее лице соразмерно и благородно:
кругловатый лоб, нос с легкой горбинкой,
крылатые брови, рот с красиво нарисованной
верхней губой,

чудесный овал лица, чуть заостренный
к подбородку.
Я мало что от нее унаследовала,
разве что рисунок бровей. Материнская
порода дала мне приземистости, прочности,
ширококостности
и лишила достоинств отцовской линии —
длинноногости, легкокостности, светлоглазости.
Вспомнила, что бабушка Маруся как-то сказала,
что сын ее сложен как Аполлон!
А сегодня в моде геркулесы
с накачанными шашечками и шишечками мышц…

Мое вполне устаревшее генетическое образование
очень глубоко во мне засело,
и, хотя я отлично знаю, что наследование признаков
гораздо более сложно, чем просто взаимодействие
доминантного и рецессивного гена,
я с большим вниманием отношусь к тому,
что могла бы назвать глубоко упрятанной
рецессивностью.
О, сколько всего сидит в каждом из нас
в запечатанном виде,
не передано нашим потомкам первого поколения,
а хранится, как в кладовой, для дальних…
От бабушки Маруси помимо красивых рук
я унаследовала маленькую грудь с маленькими
сосками,

и выкормить своих детей грудным молоком,
которого было довольно много, мне не удалось.
У моих младенцев не было сил вытянуть
из меня
имеющееся молоко, и я,
помучившись три месяца с грудным
вскармливанием Алеши,
с Петей решила вопрос радикально:
после родов сразу перевязала грудь полотенцем,
и молоко как пришло, так и ушло.

По материнской линии пришла не пышность
груди, а склонность к раку,
он и сел десять лет тому назад мне на грудь.
Правда, рак был какой-то ослабленный,
не самый яростный,
да и у мамы первый раз он объявился годам
к сорока, договороспособный, и после операции
отошел,
и со мной случилось то же самое.
А может, прогресс медицины,
которая от рака груди научилась спасать,
а от ретикулосаркомы, которая была записана
в мамином тексте ДНК или в тексте судьбы,
пока не научилась.
От нее мама и умерла в 53 года.
А мне уже под восемьдесят.
Вот так.

Опускаюсь ниже: ребра расходятся довольно высоко, и желудку вольготно выпирать как ему угодно. Это от отца и от деда. Мы пузаты. И много едим. Я поняла это довольно поздно и стала ограничивать себя, но это не помогло, именно потому, что поздно спохватилась. По женской линии тоже все плотные дамочки, но они-то все грудастые и живот не так заметен.

От мамы также пришли суставчатые пальцы ног.
У меня еще ничего, не так страшно,
а у мамы и бабушки стопа была ужасно деформирована,
этому способствовали и высокие каблуки,
которые тогда носили с утра до ночи.
Я уже лет двадцать не ношу
обуви на каблуках,
но всю молодость проскакала
на шпильках-гвоздиках.

Изящество было большое у бабушки Маруси —
и в кистях, и в стопах — не зря же побывала
в босоножках Айседоры Дункан…
Фотография где-то сохранилась — не балетный класс,
а нечто эвритмическое.
Некоторую свободу движения и я от нее переняла —
не сразу, к старости лет…

Итак, с кистями собственных рук я вполне согласна.
Это единственное. Нет, пожалуй, еще и рот.
Вообще-то рот как рот, ничего в нем нет особого.
Но в какой-то момент, сравнительно недавно
я заметила, что у рта есть свое собственное выражение,
которое определяет иногда и все выражение лица:
оно слегка детское.
Это я заметила на любительских фотографиях,
или когда снимают меня, а я этого не знаю.
Смотрю серьезно и с удивлением.
Рот мой умеет улыбаться,
но совершенно не умеет смеяться.

Вспомнила! Году в 1911-м, кажется,
когда бабушка Маруся работала в труппе
Свободного театра,
там проводили конкурс на самую красивую ножку:
актрисы встали за занавес и высунули из-под него ножки.
И первый приз получила Маруся.
Это был бумажный башмачок, наполненный конфетами,
и на нее надели передник, на котором было написано:
“У меня самая прекрасная ножка”…
Бедная Маруся. Счастливой она не была.

...Вот Андрей бреется перед зеркалом почти каждый день, смотрит на себя в зеркало. Я-то знаю, что он себе нравится. Но смотрит он на себя, чтобы видеть, по какому еще месту бритвой пройтись.
Женщины смотрят таким же осмысленным взглядом на себя, когда красятся. Я же не крашусь. То есть раза два в год, когда под камеру вылезаю. Я-то, в отличие от Андрея, себе не нравлюсь. Но про него потом.

Последние годы я стараюсь с собой примириться, перестать враждовать и хоть немного себе нравиться, а скорее — себя принять такой, какая я есть. И к тому же я ему (телу) благодарна: до сих пор оно не заставляет меня страдать. Даже мои сильнейшие мигрени с годами делались все легче и легче, а к старости и вообще прошли. А в последние годы даже стала испытывать нечто похожее на чувство вины перед телом, к которому относилась невнимательно, непочтительно, не прислушивалась к нему и даже постоянно его мучаю курением, которое явно не нравится моим легким, о чем они мне иногда тихонько и очень деликатно сообщают.

Никаких идей о здоровом образе жизни во времена моего детства еще не было: диеты, вес,

спорт еще не обозначились как жизненные принципы.
Семья, которая мне досталась по рождению, никогда ничего общего со спортом не имела. Единственная его разновидность — игра в карты — практиковалась ежевечерне: дед играл со своим братом в преферанс. Тоже вид спорта — интеллектуального. Меня же отдали в музыкальную школу, чтобы именно там я училась играть. Тоже вид спорта. Я и училась, пока у меня не нашли первичный туберкулезный процесс и врачи предложили маме изменить образ жизни ребенка: больше времени проводить на воздухе и заниматься спортом. И мама отдала меня в детскую спортивную школу на ближний стадион "Машиностроитель". Ни мой рост, ни физические данные не предполагали успехов. Но мама считала, что если уж я бросила музыкальную школу — пусть будет спортивная. И с дворовой подружкой Женей мы пришли на "Машинку", как называли стадион юные спортсмены. Туда брали всех подряд. Года три мы с Женей туда ходили и даже ездили в летние лагеря, что-то вроде спортивных "сборов". Хотя физические данные мои были никудышными, но я оказалась хорошо скоординированным подростком: результаты ничтожны, но техника прекрасная. И тренер Новиков, человек немолодой, с необыкновенно красивым и мужественным лицом американского

киногероя, о чем никто, да и он сам, не догадывался, велел мне показывать остальным правильный “перекидной” или “перекат” — это такая техника прыжков в высоту — или гонял на барьеры, где у меня тоже была правильная техника. Но выше 1,35 м прыгнуть мне не удавалось. Зато красиво! И скорость в беге была соответственна длине ног — не ахти. Но ведь красота важнее практического результата! И телу моему нравились все эти упражнения, и, наверно, с тех самых пор у меня хорошая координация движений. В рок-н-ролльные времена ловко скакала под музыку. Но, главное, занимаясь спортом, я научилась падать — “калачиком”, подбирая кисти и мягко опускаясь на согнутые плечи, немного катясь. До сих пор это умение меня не покинуло.

В целом я благодарна моему телу, и чем дальше, тем больше: я достаточно подвижна, хорошо хожу, могу таскать рюкзаки с продуктами большого веса, есть еще некоторое количество зубов, а которых нет, те я заменила имплантами и искусственными приспособлениями. Правда, я стала быстрее уставать и ослабела память.
Но память никогда не была особо цепкой — не хотела учить иностранные языки, зато

замечательно сберегала мелкие детали
и подробности, которые прекрасно теряются.
И хотя более всего у меня претензий именно
к моей дырявой памяти, но я благодарна тем
не менее и ей, бедняге, потому что отдельные
картинки, иногда невероятно ранние, она
сохранила. Так что спасибо ей, моей памяти.
На самом деле память — это самое таинственное
в нас, довольно хорошо известно теперь,
как работает сердечная мышца, каким хитрым
образом накопленный зеленым миром
хлорофилл открыл дорогу к существованию
животной жизни и как работает, скажем, наше
пищеварение и выделительная система.
Никто не знает, как происходит эта грандиозная
перезапись слуховых и зрительных картинок в те
воспоминания, которые мы храним пожизненно.
Про это мне рассказывает мой друг Никита
Шкловский, но я не все понимаю из его
возвышенной и восторженной речи.
Боюсь уходить в эту область, потому что она
расплывается и уже не вполне понятно,
о чем идет речь — о теле или о душе…
Подозреваю, что душа несет на себе отпечаток
тела, а тело, особенно лицо, мимика, жесты,
отражает особенности души.

В сторону любви...

Приехали русско-итальянские друзья, привезли в гости на несколько дней к моему четырнадцатилетнему внуку Лукасу свою тринадцатилетнюю дочку. У них взаимная симпатия. Общаются современным образом — спят в одной комнате в разных углах и переговариваются по планшету и по телефону — прикосновений не заметно. Зато друг друга фотографируют. Голос пола меняет регистр?

А про любовь-то, про любовь... Первый раз отчетливо мне понравился мальчик в пятом классе, когда женскую школу слили с мужской. Старостин Витя. Не могу сказать, что я страстно в него влюбилась, но глядела в его сторону непрестанно: глазки голубые, ресницы девичьи, миловидность девчачья... Ничего не было в нем мужского, этого Витю я еле-еле из памяти вытащила, забылась эта любовь. Страдал ли он, бедняга, от моих пылких взглядов или не замечал их, не знаю. Я-то к тому времени была опытная относительно взглядов — несколько мальчиков уже прицеливались глазами в меня, но без всякой взаимности.

А позже возникло соображение об античном юноше, столь притягательном для матерых мужиков афинской школы: в юношах есть некий период половой неопределенности. Я прежде считала, что осознание себя женщиной или мужчиной происходит лет в пять-семь, но, возможно, гораздо позже. Миловидность бесполая.

Первым прицелился Володя Быковский. Все знакомые мальчики до пятого класса, когда произошло слияние мужских и женских школ, брались на днях рождения Саши Хелемского. Его одноклассник Володя был генеральский сын, но генерал умер к тому времени, только генеральская квартира на Тверской осталась да мама, бывшая генеральша, очень растерянная от неожиданности вдовства.
Володя был белесый, с обещанием лысины уже в детстве, и худенький, а я упитанная, черненькая и умеренно кудрявая. Володя умер очень рано,

едва закончив институт восточных языков. Бедная генеральша! Всех потеряла — и мужа, и сына. Аминь.

Был еще Витька Бобров во дворе, дворничихи Насти сын. Отец у него был, но почти всегда сидел, только один раз я его видела в перерыве между посадками. С Витькой мы всегда дрались, он ко мне постоянно приставал, однажды подстерег меня в парадном и полез, может, и не драться, а так, побаловаться. Но я его схватила за плечи и трахнула башкой об стенку. Он лицо мне несколько поцарапал.
Мама моя, увидев мою расцарапанную морду, решила пресечь Витькино хулиганство и торжественно повела меня в хибарку с земляным полом, в которой жила дворничиха Настя со своими тремя детьми. Мамочка моя Насте указывает на мою расцарапанную щеку и предъявляет претензии, а Витька лежит на койке и блюет от сотрясения мозга, которое я ему устроила.
Но поняла я это через много лет.
Спустя лет десять-пятнадцать иду я по Каляевской улице мимо своего бывшего дома, а навстречу Витька Бобров, со стальными зубами и лысый, уже после первой ходки, очень обрадовался мне, руки расставил с намерением обняться и говорит:

— Как же я в тебя влюблен был в детстве. А мамку мою трамвай зарезал…
Обнялись. Больше я его никогда не видела.
Аминь.

В русском языке нет нейтрального слова, обозначающего половые органы, только матерные страшные, запретные, заборные "хуй" и "пизда", а все остальное либо латынь, либо стыдливо-ханжеская попытка дать обозначение, прозвище, намек, тень слова вроде "пиписька"… интересно, а что в других языках? В детстве эти страшные слова отбрасывали ужасную тень на всяческую любовь. Такая у нас была культура-антикультура…
И что по этому поводу думают дали и зализняки?
Вспомнила первое свидание в пионерском лагере. Я нравилась гармонисту Васе, он был цыганистого вида с сильными кудрями и бровями, может, и в самом деле цыган, — он назначил мне свидание после отбоя. Вася мне совершенно не нравился, но как было не пойти? Ведь первое свидание! Я ночью вылезла из окна и проскользнула к оврагу, который и был границей лагерной территории. На дне оврага тек ручей, но к середине лета он уже высох. Там мы и встретились — темной ночью он предложил мне дружить, и это было уже второе предложение за ту лагерную смену. Первое я уже

отвергла без свидания, теперь отвергла и это, сказавши, что у нас слишком большая разница лет — ему четырнадцать, а мне двенадцать. Это было лукавство — на самом деле замечательно, когда дружишь с таким взрослым мальчиком. Но я отказала, потому что тот, который мне нравился, мне дружить не предлагал. Тот был почти ровесник, может, на год старше, светлый, славянский, с тонким дерзким лицом. Наверное, мой муж Андрей в двенадцать лет был на него похож... Самое забавное забыла, только сейчас вспомнила: когда нас вывозили в конце смены в город, вместо двух автобусов пришел один, и набилось очень много ребят, и я сидела у этого мальчика на коленях. Он ерзал все дорогу, а я слегка удивлялась: зачем он положил в карман огурец?

Вспоминаю себя — самое начало жизни в женском теле, в женском поле. Совсем маленькая — меня уложили спать в разгороженной надвое комнате тети Сони — я в большой кровати красного дерева, напротив меня зеркальный шкаф. Трехстворчатый. На двух крайних створках маркетрические ромбы, в середине большое зеркало. Я уложена, укрыта одеялом в хрустящем крахмалом пододеяльнике, но спать не хочется. Сажусь на кровати, расставив колени, и разглядываю то, чего никогда еще не видела: розовый разрез между ногами, обрамленный нежными губами, с маленьким как будто острием на вершине. В разрезе — вход в глубину… Я уже информирована, мне все рассказали во дворе, но я не поверила в этот ужас. Как? Все люди на свете это делают? И моя мама? И мой папа? И дедушка с бабушкой? Да быть того не может!

Проходит еще несколько лет, и я лежу в уже бабушкиной постели, с тем же крахмально-жестким бельем. Нас временно уложили сюда спать — меня, десятилетнюю, и моего двоюродного братика Юрочку, совсем маленького. Пока гости в соседней комнате пьют чай и громко смеются антисоветским анекдотам, я исследую то, что, по моим свежим сведеньям, и есть страшное орудие, которое врывается в розовое женское нутро… Довольно жалкое орудие — мягонькие три шарика: два круглых и один продолговатый, с розовой дырочкой на нежном кончике. Мальчик спит и не думает просыпаться. Я все потрогала. Нет, мне наврали дворовые девчонки: не может быть, чтобы это был он — страшное слово! — который может войти внутрь меня. Нет, нет, никогда в жизни! Я так люблю моего двоюродного братика. Это я выбрала ему имя — Юрочка. Мне очень нравилось это имя.

Самый первый Юра, которого я знала, жил на третьем этаже — совсем большой мальчик, восьмиклассник, даже фамилию его помню — Тезиков, и, когда он пробегал мимо меня по лестнице, я замирала. Он мне очень нравился, и розовые прыщи на его худой физиономии мне тоже нравились. Мужественно…

Следующий Юра появился спустя несколько лет. Мне было пятнадцать, год был послефестивальный, пятьдесят седьмой. Девушки носили широченные оборчатые юбки, под ними полагалось носить еще и нижние, чтобы вокруг тонкой талии дыбилось ситцевое облако. На пляже в Татарове — как меня туда занесло? — я, пятнадцатилетняя, познакомилась с настоящим суперменом (слова такого еще не было, но порода эта уже проклевывалась), высоким и узким Юрой, двадцатитрехлетним студентом. Он проводил меня домой, а через несколько дней ждал меня в подъезде с букетом цветов. О, позор школьной формы, коричневого платья и черного презренного фартука…
На первое свидание к нему я одолжила у подруги Маши черный свитер с высоким воротом, который можно было натянуть на голову как капюшон, и сшила на большой скорости юбку в мелкую черно-красную клетку. Я собиралась

на свидание, а мама, видя мое возбуждение, только качала головой и говорила:
— Люсенька, не надо бы тебе идти на это свидание… ничего хорошего тебя не ожидает…
Прекрасная моя мама. Все предвидела и смирялась с неизбежностью. Но отпустила же!

Студент Юра повез меня к себе домой. Мне и в голову не пришло спросить: зачем? Ясно было, и мне туда хотелось… Большая профессорская квартира. Я из коммуналки — таких квартир еще не видывала. Первый поцелуй, как только дверь захлопнулась. И в постель, в постель без промедления. Одежда слетает как досадная помеха, и кожа касается кожи, губы губ, и руки рук, и ноги ног…
Ничего такого не происходит, кроме нежности и ласки.
Потом оказываемся в ванне, и вода ласкает, и полное счастье прикосновений в теплой воде… и ничего такого! Он восхищается мной, я восхищаюсь им.
— Я хочу тебя сфотографировать, это будет на память о сегодняшнем дне…
— Да, да, на память о сегодняшнем дне…
День любви и обнаженной ласки…

Это была компания сутенеров, которые вербовали девочек с помощью пары таких красавцев,

как Юра. Фотографировали, запугивали, шантажировали и торговали потом их глупыми телами.
Отборочный тур я прошла — фотографии были сделаны. Впрочем, я их не видела. Но была рассказана мне какая-то путаная история, что фотографии случайно попали куда не надо бы… и теперь надо как-то выпутываться. То есть выпутывать бедного Юру, в которого я по уши влюблена, из неприятной истории. Сценарий для идиоток был написан прекрасно, но я с этого крючка сорвалась, сообразив, что герой мой в этой истории играет какую-то подсобную и жалкую роль. А мы, девочки, любим "суперменов", а не "шестерок".

Красавца этого увидела года через три, уже на судебном процессе, когда меня разыскали по его записной книжке и хотели привлечь в компанию пострадавших. Я не была пострадавшей, не дала против него обвинительных показаний. Он и его руководящий приятель получили свой срок без моей помощи. Лет пятнадцать спустя я, обошедшаяся без всякой травмы и вполне уже взрослая женщина, встретила Юру в винном отделе магазина — он был почти неузнаваем: в тюрьме его хорошо изметелили, обвисшее лицо со шрамом через лоб. Мы поздоровались.

— Вышел?
— Да… А ты в порядке!
— Да, я в порядке.
— А моя мама умерла, — сказал он.
— Правильно сделала, — сказала я.
Больше я его никогда не видела.

Никогда и никому я об этом даже не рассказывала, а сейчас дожила до такой возрастной границы, когда могу рассказать и эту грустную историю моего взросления.

Года через два после того суда, когда Юра получил свой срок, у меня начался мой первый настоящий роман с рыжеватым мальчиком, моим ровесником. Юрой он не был… За первые две недели оба мы из невинных телят стали талантливыми любовниками, очень быстро прошли всю эту камасутрую науку и едва не поженились.
Роман длился год, это был девятнадцатый год жизни. В тот год мы оба провалились на экзаменах в университет — он на мехмат, а я на биофак, — в перерывах между объятьями готовились к следующему рывку. Полная телесная гармония, но при этом его одолевало большое душевное беспокойство: нет, не я тебе нужен. Я тебе не подхожу! Тебе нужен Юра Тайц.

Никакого такого Юры я не знала и, уже почти собравшись за этого рыжеватого замуж, поехала в Коктебель. Там на писательском пляже познакомилась с Юрой Тайцем. Он и вправду подошел. Своего предшественника Юра превосходил по многим статьям: сразу после окончания школы поступил в самый притягательный для умных мальчиков вуз, в физтех, был без пяти минут мастером спорта по боксу, ходил в джинсах, купленных у фарцовщика с Плешки (кто не знает, что такое Плешка, пусть и дальше не знает — это уже история). В то время еще не все знали, что без джинсов никакой человек не мог считаться состоявшимся… и был он не рыжеватым, а интенсивно, мощно и решительно рыжим.
За него я и вышла замуж. Мелькнувшее в детстве имя наполнилось замечательным содержанием. Прожили мы с Юрой пять лет,
так и не догадавшись, что регистрация в загсе не сделала наши отношения браком.
Я очень его любила, но ушла от него из детской честности: он к тому времени уже вовсю делал свою яркую карьеру, уплыл в кругосветное плавание на исследовательском судне, что было совершенно неправдоподобно по тем временам… Какие мелкие и незначительные обиды меняют жизнь! Накануне отплытия у Юры завелся платонический, как он говорил, роман.

В ту пору этот роман был и вправду платоническим. Юра общался с нашей приятельницей, ездил к ней на дачу, я несколько нервничала, он же объяснял мне, что эта искусствоведческая девица весьма интеллектуальна и ему с ней интересно. Это было обидно: получалось, что моего мужа не устраивает мой интеллектуальный уровень. Словом, он уплыл в кругосветку, оставив меня в довольно подавленном состоянии.

Год шел шестьдесят восьмой. Вообще-то я тоже была девочка в полном порядке: окончила университет по кафедре генетики, меня взяли стажером в Институт общей генетики, и все было так интересно, так остро, так захватывающе. Среда — лучшая советская тех лет: молодые генетики, подхватившие из рук прежде гонимых стариков эту самую увлекательную науку с дрозофилами, их мутациями и открывшимся невероятным горизонтом. На этом горизонте появился молодой аспирант, с которым я отлично растоптала свою обиду на плавающего в южных морях мужа, уехав с этим аспирантом в Ялту, на скромное Черное море. Письмо от Юры с острова Святой Елены пришло в день моего отъезда, но почтовый ящик я открыла, только вернувшись из поездки. Письмо было

прекрасным. Он понял, что глупо себя вел перед
отъездом, как ему стыдно и прочее, прочее…
Я же оказалась в безвыходном положении: скрыть
от мужа свое приключение я не могла как честная
женщина, и рассказать ему тоже невозможно,
потому что точно знала, что он мне этого
не простит… И я ушла от него.
Из честности. Как, впрочем, ушла десять лет
спустя и от этого аспиранта, родив с ним двух
сыновей. Для полноты картины не могу умолчать:
с интеллектуальной искусствоведкой Юра прожил
года два…

Молодой аспирант стал моим вторым мужем
и отцом моих детей. Задержавшаяся почта решила
мою судьбу: получи я это письмо за несколько
часов до отъезда, ни в какую Ялту ни с каким
аспирантом я бы не поехала, а понеслась бы
встречать Юру в Одессу, куда после трехмесячной
кругосветки вернулось его исследовательское
судно. И дети мои скорее всего были бы
Юрьевичи…

Умер Юра очень рано, в тридцать шесть лет.
Последнюю ночь Юры я провела с ним
в больнице, в очередь с его последней женой
и последней любовницей.
Аминь.

Аспирант, отец моих сыновей, давно уже профессор расставшейся со мной генетики, после нашего развода женатый уже не помню в какой раз, изредка звонит по телефону. Иногда встречаемся. На свадьбах и похоронах.

Сегодня я могу сказать, что тогда про любовь я мало что знала. Большая, может быть, великая любовь — не моя — была показана мне в мои школьные годы, притом от завязки до финала. Это была мамина любовь к Борису и его любовь к ней. Десять лет они переглядывались по утрам, идя противоходом — оба шли пешком на работу, она от Каляевской на Солянку, а он на Каляевскую от Пушкинской площади. Десять лет он стеснялся к ней подойти, считал, что она слишком молоденькая. Как выяснилось позже, они были ровесниками. Подошел он к ней на одиннадцатом году уличного узнавания. В тот день мы с мамой вышли из ателье. На мне была только что сшитая куртка с капюшоном (такого чуда наши портнихи тогда не знали, скроен он был ужасно — узкий в голове, длинным углом болтался сзади чуть не до задницы). Мы с мамой собирались перебежать улицу к нашему дому на противоположной стороне улицы, и тут возник он, очень светлый блондин с очень светлыми глазами, в сильно потертом кожаном пальто, и остановился возле нас. Мама сказала ему “Это моя дочь”, а мне — “Беги домой”. Это и было начало великого романа. Мне было пятнадцать, а им по тридцать восемь. Он был прочно женат, она замужем. Мама развелась с моим отцом года через два, а он так и остался при своей армянской жене.

Я оказалась сообщницей и доверенным лицом. Но через несколько лет я все же спросила: мама, а почему он не разводится? Ответ был ошеломляющий: да если бы я захотела, он давно был бы здесь — она сделала обобщающее движение, — но кроме того, что он хороший любовник, он еще хороший муж и хороший отец. И если бы он ушел из семьи, он чувствовал бы себя несчастным… Я не хочу, чтобы он был несчастным рядом со мной, — ответила мама. Ответ меня поразил: любовь, лишенная эгоизма? Подвиг любви? Так бывает? Оказывается, да, бывает. Никто, кроме меня, об этом и не помнит.

Я ничего, ровным счетом ничего не понимала в этой любовной материи. Дала себе слово: никогда не путаться с женатыми мужиками. Сегодня смешно об этом вспоминать. Когда мы встретились с Андреем, он был со своей женой официально разведен, но еще много лет не мог решить для себя вопрос, кто же его жена: может, та, разведенная, может, я…: сколько лет ушло у него на то, чтобы разобраться.

Моя мама умерла раньше, чем жена Бориса. Тринадцать лет длилось их тайное счастье. У этой любви был свой режим: каждый день, кроме выходных и праздничных, они встречались в восемь утра возле магазина “Мясо” на Пушкинской площади и шли бульварами до Солянки. Потом он ехал на смену. После двух лет тайных встреч, после маминого развода с моим отцом, Борис стал приходить к нам домой, в нашу коммуналку.
Мама обычно заканчивала работу в три, брала такси и мчалась домой, а он прибегал в это время как раз на перерыв между сменами. Если в тот день была только одна смена, то он оставался, мы обедали, потом мне велено было гулять где мне угодно, но домой не соваться до шести. Если у него была еще и вечерняя смена, мама встречала его возле дверей его студии, и они вместе ехали от Новослободской до Павелецкой, а потом он провожал ее до Новослободской, а потом она снова ехала с ним до Павелецкой… и так тринадцать лет.

Комната наша была крайняя в квартире, одна стена была общей с подъездом. Боренька мамин,

поднимаясь к нам на второй этаж, тонко постукивал в стенку, в звонок никогда не звонил, мама шмыгала к входной двери, открывала и впускала его. Он был прекрасен. Как и моей маме, он мне нравился больше, чем мой отец, о чем я всегда печалилась.
Постепенно мы с ним подружились. Полюбили друг друга. Я не могу сказать, что он заменил мне отца. Отец у меня был родной. Бедный. Очень бледный. Но место Бориса в моей жизни было очень значительным. Вообще говоря, безотцовщиной я не была, но близко к этому.

Кожаное пальто, то самое, в котором он ходил до конца пятидесятых годов, Борис купил мальчишкой с первого заработка, еще перед финской кампанией, куда отправили его восемнадцатилетнего. Это была драгоценная для мальчишки вещь. Он вернулся с финской, а уходя на свою вторую войну, в сорок первом, закопал пальто в палисаднике возле дома. Вернувшись с войны, откопал свой клад и ходил в этом пальто еще лет тридцать. Полинялая кожаная ветошь.

Когда мама болела своей предсмертной болезнью, Борис взял отпуск и сидел с ней в больнице днями, а я, беременная Алешей, сидела ночами… до конца жизни он приходил ко мне перед Новым годом и в день рождения с большим круглым тортом и букетом цветов. Маму он пережил почти на сорок лет, умер в 2006-м. Сыну моему, которым я была беременна, когда мама умирала, сейчас сорок восемь…

Как и все фронтовики, он никогда не говорил о войне, но от мамы я кое-что знаю о его плене — как он каждый вечер, пока их два месяца гнали толпой в Германию, прокаливал на огне лезвие, спрятанное в сапоге, и прижигал им рану на плече, чтоб не загноилась. Пять побегов из пяти лагерей. Маме рассказал он о последнем побеге с острова в Северном море, где был лагерь для военнопленных и откуда он бежал, когда американцы разбомбили лагерь. Как он плыл два километра в октябрьской холодной воде к берегу, и доплыли из двухсот человек двое… рассказал о переходе через линию фронта и о Смерше, который его три месяца терзал, вызывая каждый день на допросы, пока он не сказал однажды: если вы меня считаете изменником родины, можете выстрелить мне в затылок. Повернулся и ушел, а затылок горел, ожидая пули, пока он шел к двери. Давно нет мамы. Нет Бориса. Аминь.

Как много значат запахи во взаимной тяге тел. Это потому, что мы животные.

У рыжего Юры были очень сильные волосы
с личным запахом. Его сын Захар совсем на отца
не похож, он и не рыжий. А вот запах волос Юрин.
У Андрея, когда мы познакомились, волосы
были длинные, сухие, легкие — довольно плохие
волосы. Потом он их стриг всё короче, а теперь
стрижется наголо — у него идеальной формы
череп и прекрасные уши. Лицо делается все
точнее и точнее — он так много делал своих
автопортретов, что, видно, сам себя отчасти
и нарисовал… вчера поздно ночью смотрела его
архив, искала обложку для последней книжки
и нашла мильон его автопортретов, которых
прежде не видела. О, эго-эго-эго!
Андрей в те годы курил “Беломор” и пах табаком,
растворителями и сильным потом.
Еду в автобусе, и сзади пахнуло “Беломором”
и олифой, что ли… и меня пот прошиб.
Обернулась — какой-то мастеровой позади меня
стоит. Разговор запахов. Это я все про телесное.
А теперь Андрей не пахнет ни табаком, ни потом.
Курить бросил, а потоотделение к старости
ослабевает. А может, перестал тяжести ворочать…
А тут такие дела, что не до тела: наши войска
выходят в Прагу, а подруга моя Наташа
Горбаневская выходит на Красную площадь,
потому что она “за свободу вашу и нашу”.
И повсюду идут собрания с осуждением этих
семерых, что посмели… и я совершаю
единственный в своей жизни политический

поступок: во время собрания, когда наступает минута осуждающего голосования, я пытаюсь выскользнуть из зала, но дальняя дверь оказывается заперта, и я, звонко топая высокими каблуками, с мокрой спиной под псевдошанелевым костюмом прохожу через замерший от зависти зал, полный молодых и умных научных сотрудников, мимо президиума и выхожу вон… Какая красота! Меня, правда, довольно быстро выгнали, и карьера моя закончилась, едва начавшись.

Про движение. Сначала ребенок просится на руки и требует, чтобы мама брала и несла, а отец подбрасывал и ловил. А потом, подрастая, он стремится поскорее оторваться от родительских рук и рвануться в свободное плаванье. Качели, беготня, скакалки, догонялки, футбол. Самый быстрый и ловкий занимает в этом возрасте вершину в детской иерархии. А потом — самый умный. Но преимущество быстроты, подвижности и силы на этом не заканчивается. И побеждает в большинстве случаев даже не самый умный, а самый подлый…
Что демонстрируют в брачных танцах птиц самцы самкам? Красоту телесности? Красоту движения? Красоту пола?
Пол не подл. Он правдив и ничего не скрывает. Природа велит ему трудиться везде и всегда.

Пол, в котором существуешь. Уже хочется из него выйти в то свободное существование, где кончается это рабство, бессмысленный труд воспроизводства и начинается ангельская свобода.

Я в Италии, в безвестной деревне, при мне четырнадцатилетний внук и его итальянская русско-еврейская подружка тринадцати лет, личинка обворожительной стервы с многозначительным взглядом из-под приспущенных век, будущая красавица и обольстительница. Некуда деваться. Оба они в том самом возрасте, когда все бурлит, и смущает, и отрывает человека от того смысла, который существует поверх продолжения себя, поверх размножения…

Сорок шесть лет назад я встретилась с моим последним и единственным мужем. Это была тяжелая многолетняя история, которая здорово нас обоих изменила. Заняла эта новая биография тела и души всю оставшуюся нам жизнь.

Границы тел со временем размываются, как и границы душ. То, что рассказывают в сказках о единой плоти, возможно, и достигается. Единомыслие, единочувствие — определенно.

Это взаимное преображение, соединение,
взаимопроникновение, которое начиналось
в любовных объятиях, близко к завершению:
мы стали стариками — мне 79, ему скоро 88.
Мы выросли из своих молодых тел, они как
змеиные выползки остались позади нас.
Говорят, что половые снасти есть и у светоносных
существ, бывают ангелы и ангелицы, но этот
инструментарий ими не используется.
Может, вновь изобретенное слово "гендер"
именно это и означает?

Есть несколько вопросов, на которые нет ответов:
зачем такие могучие силы тратит живая природа
на самовоспроизведение, зачем столько сил,
таланта, энергии тратит человек, чтобы
самоуничтожиться вместе со всей планетой…

И последнее, самое обескураживающее: мы знаем,
отлично знаем, как созидаются новые телесные
оболочки. Приходилось этим заниматься.
Но совершенно не знаем, откуда берутся новые
души… Погоди, дружок, погоди немного — скоро
узнаем.

Похороны мои будут хорошими и веселыми.
Я их давно придумала.

Все вы пришли, некоторые приехали и прилетели — Алеша с Наташей и Лукасом из Лондона, Марк из Америки, Петя с Марьяшей пришли пешком, и Мила приедет на большой машине. Прилетит Лика из Израиля и Таня из Италии, за день до смерти придет Саша Борисов не по моему вызову, а по своему желанию. Я бы не осмелилась позвать для прощания священника. Если не придет Саша, другой священник Володя совершит заочное отпевание в церкви около телеграфа, и туда придет Наташа Бруни, может, с Андреем и Анечкой. Мое православие развеялось, но как прекрасно, когда ставят эту точку прощания на словах "Ныне отпущаеши"...

Не знаю одного — придет ли на мои похороны Андрей или уйдет прежде меня. Я бы хотела, чтобы прежде ушел он, потому что ему одному будет бездомно. Может, я преувеличиваю свою роль и преуменьшаю его бесстрашное одиночество и самодостаточность.

В гробу я буду прилично выглядеть — лучше, чем за неделю до смерти. А про Андрея и говорить нечего: лицо его просто благородная бронза и нет в нем ничего лишнего.
Потом накроют столы в кафе "Март" или в каком-нибудь другом дружеском месте,

и про меня будут говорить одно только хорошее,
а я, если будет такая возможность, буду
посматривать на вас, радоваться вашим словам
и вашей преданности и любви даже еще больше,
чем радовалась этому при жизни.
Аминь.

И главное, самое главное — откроют мне наконец
мое настоящее имя.

Истории с биографией

География детства

Моя бабушка рассказывала мне об Институтской улице в Калуге, где жила в детстве, об антоновских яблоках, которые хранили на чердаке, в соломе, о запахе, которым был наполнен весь дом, о частной гимназии госпожи Саловой, где она училась. Мама вспоминала о своей 110-й школе в Мерзляковском переулке, о катке на Патриарших, куда бегали по вечерам, и эти рассказы стали и моими воспоминаниями "второго порядка", если можно так выразиться. До Калуги я так и не доехала и не удосужилась взглянуть на провинциальный город, где прошли отроческие годы бабушки, а мамина 110-я школа переехала. Памятник погибшим выпускникам школы — все до единого мальчики из маминого класса погибли в войну — стоит возле новой школы. Свалял скульптор Митлянский, тоже фронтовик, окончивший эту школу в 1941 году, несколькими годами позже мамы. Он-то и был единственным, кто выжил…

Семья наша, в ее московский период, начавшийся в 1917 году, обитала на севере Москвы. Первое жилье — половина дачи в Петровском парке, куплена была за полгода до революции. Там в 1918 году родилась моя мама. По соседству с Петровским путевым дворцом…

В тридцатые годы жизнь моего отца тоже была связана с этим районом: когда его отца, моего деда, арестовали, отец бросил школу и пошел работать в метрострой. Работал на строительстве станции метро "Динамо".

В те времена этот район уже стал настоящей Москвой, а не пригородом с дурной репутацией. Дача — после того как семья деда переехала сначала на Садовую, а потом на Каляевскую — еще долго стояла, а потом развалилась. Поблизости была Нижняя Масловка, где долгие годы была мастерская моего мужа, Андрея Красулина. Последняя квартира выселенных с Каляевской моих бабушки с дедом была на Башиловке, все это на одном пятачке, на севере столицы.

Мои переезды с Каляевской на Новолесную, и последний, к метро "Аэропорт", вблизи бывшей дедовой дачи, все были по северу нашего города.

География моего детства — Каляевская улица. Бывшая Долгоруковская, несколько десятков лет она жила под этим именем — в честь террориста нежной и поэтической души Ивана Платоновича Каляева. Сейчас она снова стала Долгоруковской.

Имя Ивана Платоновича Каляева осталось в истории, а про убитого им великого князя Сергея Александровича забыли... Впрочем, имя Каляева тоже ушло из московской топонимики. А стихи этот поэтический человек писал совсем плохонькие.

Упиралась Каляевская улица в станцию метро "Новослободская". Прекрасно помню открытие станции в 1952 году и острое впечатление от разноцветного искусства: витражей с орнаментами, серпами, молотами и гербами. В пяти минутах от дома — Миусский сквер.

С годами расширялся ареал моего распространения — в те годы дети рано начинали путешествовать по Москве, теперь таких малолеток вообще не выпускают одних на улицу. Мы с подругами совершали дальние путешествия на каток в сад ЦДКА, бывший Екатерининский, в кинотеатр "Экран жизни", добредали до Савеловского вокзала, мимо Бутырской тюрьмы. Туда ходил трамвай. Однажды я видела, как трамвай задавил деревенскую женщину в тулупе. Засело накрепко в детской памяти: распахнувшийся тулуп, ободранные ноги... лица не видно. Первый мертвый человек, своими глазами увиденный. Незнакомый.

Еще были Селезневские бани, полные голых женщин с шайками в зыбком пару. Но туда меня не часто водили, только когда колонка в бабушкиной квартире ломалась. В бабушкиной коммуналке сохранилась ванная комната, там стояли старинная на львиных лапах ванна и фарфоровый умывальник в мелких трещинках по розовым хризантемам. Такого ни у кого не было!

Двор был полубарачный, но с несколькими полуприличными домиками в обширном дворовом пространстве. Настоящие бараки находились метрах в трехстах, ближе к 4-й Тверской, к Миусам, назывались они Котяшкина деревня. Мне туда ходить не разрешали, но они притягивали своей запретностью.

Какие чудесные блуждания, расширение маленького мира и изменение масштабов! Немного страшно было заблудиться, но отчасти этого и хотелось: пережить еще и еще раз ужас (а вдруг я заблудилась навсегда?), а затем и счастье узнавания родной местности; до сих пор люблю заблудиться в незнакомом городе, правда, теперь уже с картой в руках…

Одним своим боком Котяшкина деревня выходила к зданию Высшей партийной школы. До революции там был народный университет Шанявского, очаг культуры. ВПШ была центром притяжения европейской коммунистической молодежи. А также она притягивала местное женское население “коммунистическими женихами”. Особо ценились итальянцы. Моя подруга Люба встретила свою судьбу именно на Миусах, на нашем излюбленном сквере. По сей день навещаю эту счастливую парочку в Милане: Джузеппе довольно быстро охладел к коммунистическому движению, стал левым журналистом, а Люба — профессором Миланской академии художеств. Еще две девочки из моего класса удостоились заграничной брачной карьеры: одна вышла за шведа, другая за чеха... Сейчас в бывшем коммунистическом питомнике расположился РГГУ.

В местах моего детства география не отделена от истории, а история от биографии. В районе Миус и близлежащих улиц, в частности, Лесной улицы, располагалась когда-то огромная дровяная торговля. Сюда привозили лес в разных видах — и для отопления домов, и для строительства. Я помню последний дровяной склад возле Котяшкиной деревни. Начальствовал там старый огромный еврей по фамилии Купершмит — он приходил к моему прадеду обсудить животрепещущую проблему сватовства: у него была такая же огромная, как он сам, дочь, которую давно пора было выдавать замуж, но не находилось охотников... Нет дровяного склада. Нет Котяшкиной деревни. Но еще доживает свою поникшую жизнь Миусский скверик. Уже без фонтана, без карликовых японских акаций на газонах. Ушла Москва, которую мало кто помнит.

Любить Москву все труднее и труднее: моя детская родина почти полностью разрушена. В современном городе не нужны больше москательные и керосиновые лавки, дровяные склады и столетние магазины с кафельной бело-синей плиткой, как в Филипповской булочной или в Курниковом магазине. Не нужны и не возможны. Все заменил супермаркет. Многоэтажка. Спортклуб вместо дворового катка. Нет ни стекольщиков, ни прачек, нет дворников и старьевщиков. Но есть работники ЖКХ и магазины секонд-хенд. И нас, старых жителей Москвы, тоже уже почти нет.

Лоскуток

Почему, собственно, лоскуток? Потому что это была существенная часть жизни. Даже не углубляясь в то обстоятельство, что и сама жизнь наша того времени представляла собой большое лоскутное одеяло, на основном фоне краснознаменной марксистско-ленинской истины стояли заплаты разного цвета: от черно-буро-малинового до черного.

На столе еще присутствовали серебряные ложечки, свидетели какой-то мифологически богатой прошлой жизни, в чулане стоял сундук, в котором хранились изношенные странные вещи из прошлого: остатки чьих-то гимнастерок, мундиров, кружевных панталон и даже веер из страусовых перьев… Главным предметом, который не утратил смысла, а, напротив, занимал центральное место в жизни, была швейная машинка "Зингер", подаренная на свадьбу бабушке в начале 1917 года. Эта кабинетная машинка стоит по сей день в моей квартире, а в ее ящичках — нанизанные на суровую нитку колечки пуговиц, от перламутровых крохотных до "пальтовых", с виду роговых, лежат наборы иголок, резинки, тесьма, ленточки, кой-какие лоскутки и, конечно, инструменты для починки и ухода за этой самой машинкой, которая — на моей памяти и с моим участием — умела, постукивая, шить ткани самой разной толщины, от батиста до кожи. Надо было только покрутить одно маленькое колесико, и она мгновенно перестраивалась под нужное усилие.

Были годы, когда эта машинка была кормилицей семьи. Когда семья уехала в начале войны в эвакуацию, машинка поехала с бабушкой. И они — бабушка и машинка — там шили "на людей"...

Ко времени, когда семья вернулась в Москву из эвакуации, а дед уже вернулся из лагерей, относятся мои самые ранние воспоминания. Пол в большой комнате, еще не поделенной перегородкой из-за прироста семьи, был завален обрезками розовато-белой ткани сорта дамаст. Бабушка занималась рискованным нелегальным бизнесом, и самым страшным для нее было слово "фининспектор". Он мог нагрянуть и арестовать за этот незаконный промысел. То обстоятельство, что она была советской служащей, работала бухгалтером в музыкальной школе за маленькую зарплату при большой семье, ее бы не спасло...

Из розовато-белого дамаста бабушка шила изумительные и устрашающие своими размерами предметы, жесткие от густой строчки вдоль и поперек.

Это была “сангалантерея”, бюстгальтеры и затейливые “грации” бабушкиной собственной конструкции, то есть кроя. Очередь из полнотелых дам, и не простых теток, а певиц из самого Большого театра, которые в те годы были все как одна шестипудовыми, не иссякала. Бабушка затягивала безразмерные груди в треугольные колпаки, а не в общепринятые шестиугольные “чашечки”, выстроченный перед грации подбирал живот, отгоняя жир в бока, а сзади была шнуровка, которая держала телеса в уплотненном состоянии... А лоскутки дамаста падали со стола на пол, а я их собирала...

Это преамбула к рассказу о том, как одевались мы, женщины того “золотого века”, и как одевали меня. Скажу сразу — очень хорошо. Отлично! Первый класс!

Я помню мои наряды приблизительно с трехлетнего возраста. Одна из первых фотографий — я с прабабушкой Соней, которую и помню только благодаря этой фотографии. Я в вязаном платье, которое привезла мне бабушкина сестра из Риги, году, я думаю, в 46-м или в 47-м, когда Латвия уже перестала быть буржуазной, но еще не разучилась производить красивые вещи. Розово-лиловое, с бомбошками на вороте платьице... Это была одна-единственная “готовая” вещь, все прочее — самодельное, главным образом из старья...

Общая схема жизни была такова: изношенное бабушкино пальто, “зимнее” или летнее, “пыльник”, распарывали, стирали и утюжили. Получались прекрасные куски очень качественной ткани, которую иногда “перелицовывали”, то есть шили из нее совершенно новую вещь, но уже изнаночной стороной наружу. Обычно эта новая вещь, если речь идет о пальто, переходила к моей маме, которая ростом сильно уступала бабушке, так что кроить из большого маленькое не составляло проблемы. Проблема заключалась в другом — как ловко и незаметно заменить, скажем, изношенный локоть или борт. Нет, нет, я не буду рассказывать о тонкостях кроя. Скорее, это о судьбе бабушкиного пальто, которое становилось маминым, но это не было последней точкой его биографии. Этому пальто предстояло еще послужить и мне. Вещи, из которых я вырастала, посылали в город Ленинград, где жила одинокая родственница с дочкой, которая была года на три меня моложе. Так что окончательно донашивала вещь, видимо, она.

У меня есть школьная фотография года пятьдесят четвертого, не позже — в 1955 году школы “слили”, и моя женская стала “двуполой”, и с этого времени в классе появляются кое-какие мальчики, все в серых формах — именно в тот год ввели формы для мальчиков, типа гимназических. Но на этой фотографии я среди девочек, на улице возле школы, представлена в зимнем пальто реглан с кроличьим воротником. Точно, это пальто было переделано из папиного… Женщины крой плеча реглан тогда почти не носили. Слово даю, это очень элегантное пальто. Мои первые брюки, вернее, брючный костюм, тоже были произведены из папиного изношенного костюма. Это год пятьдесят шестой, я думаю, и девочка в брюках в то время выглядела, с одной стороны, экзотически, с другой — глубоко оскорбляла общественный вкус. Но в те годы мне это нравилось…

Возвращаюсь к лоскуткам. Где-то в недалеком пригороде был магазин, куда изредка ездила бабушка. Назывался магазин "Мерный лоскут". Оттуда бабушка привозила куски ткани, которых не хватило бы ни на платье, ни на что другое. Маленькие такие отрезочки — сантиметров 50, от силы 80. Иногда везло и попадались отрезочки одного рисунка. Чаще — разного. Вот тогда и явилась идея встречи клетки и полоски, горошка и цветочного рисунка. Для взрослых, по тогдашнему пониманию "приличной" одежды — не годилось. Но для детей — можно… До идеи "лоскутного одеяла" — пэчворка (*Patchwork*) — как нарядной и даже экстравагантной одежды было еще очень далеко.

Но ткань, материя, тряпка сама по себе имела ценность. Я прекрасно помню платье, сшитое для одной из моих двух кукол из остатков моего, сшитого из обносков маминого, которое, в свою очередь, было сшито из "севшего" при стирке бабушкиного.

Бабушка меня учила шить — не на машинке, конечно, на руках… она показала мне швы "иголкой назад", "стебельком", "наметку" и другие нехитрые приемы. Кстати, и в школе преподавали нам рукоделие.

Классе в пятом у меня появилась подруга Люба, которая была сильно озабочена своим гардеробом. Она сама шила. Классе в шестом-седьмом началась и для меня тема “нарядов”. Ну, признаться, интерес к одежде у меня и по сей день не угас. Но он приобрел скорее антропологический характер: покупать, а тем более шить я практически перестала. Донашиваю любимое старье, люблю донашивать и за подругами. Только брюки изредка покупаю.

Наше общение с Любой почти исключительно было посвящено тому, что́ мы на себя надевали. Я уже писала, что Люба до недавнего времени, пока не вышла на пенсию, была профессором Миланской академии художеств именно по этой части — история костюма и некоторые проблемы технологии производства одежды входили в ее лекционные курсы. А сейчас нет такого мирового жюри моды, куда бы ее не приглашали как эксперта. Она так и живет в Милане, и мы изредка с ней видимся.

Но в те школьные годы мы виделись почти каждый день. Помню, я звоню ей: пойдем погулять! Нет, говорит, часа через два, я тут тряпочку купила, хочу платье сшить. И через два часа она приходила на прогулку в платье, которое было сшито за это время… Классу к восьмому наши вкусы разошлись окончательно: я постриглась, прическа эта называлась “греческий пастух” — приблизительно так, как я и сегодня пострижена, — носила купленную в комиссионке шерстяную американскую солдатскую рубашку навыпуск, юбку, короткую по тем временам до неприличия (то есть до колена!), и подпоясывалась тонким кожаным ремешком. Моя мама в ужасе была от этого наряда. И правда, улица оборачивалась. Стиль мой, который я в те времена и не пыталась определить, был артистически-хипповым, но в то время слово "хиппи" еще не знали… Да их еще и в природе не было, этих хиппи. Вот такая я была передовая девушка.

Люба поступила учиться на модельера, а я — на биофак. Я вышла замуж за физика, на ту пору самого молодого доктора физ.-мат. наук…

До сих пор я хорошо понимаю в тряпках и могу многое рассказать о человеке, видя, что он на себя натягивает. Хотя во времена моей молодости эту "карту" я читала лучше. И речь идет не только о вкусе человека. "Плохой вкус", "хороший вкус" — вообще не измерения. Стиль одежды говорит о характере, об уровне образования, даже о месте жизни человека очень много. Сегодня эта карта читается не так явственно, как в прежние годы. Но до сих пор я знаю, что первую оболочку души дает человеку природа, или Господь Бог, и это его внешность, а вторую он придумывает себе сам — себе шьет или в магазине покупает подходящее, это его временная одежда. В ней он самовыражается, даже если об этом никогда не задумывается.

Но все-таки забавно! Вот приходит журналистка, а на ней широкополая шляпа с брошечкой на тулье. Спрашиваю: где машину запарковали? Да я на метро приехала, — отвечает она. И мне про нее кое-что ясно. Догадка моя — девочка из глухой провинции. Пройдет еще несколько лет, и она, может, перестанет носить широкополую шляпу в метро, снимет шпильки в десять сантиметров и наденет кроссовки... Одежда согласуется с образом жизни и обнажает характер. Она же рассказывает окружающим о нас.

Я вынуждена себя ограничивать, потому что тема эта бездонна. А мужская одежда! Там даже интереснее, чем с женской. Ведь многие мужчины "на службе" вынуждены ходить в официальных костюмах, и как тут выразить свою индивидуальность? Брендом? Ценой изделия? Отсутствием галстука или, напротив, выбором такого галстука, который заставит улыбнуться и подумать: а парень-то с юмором! А водолазка под смокинг? А кроссовки к роскошной брючной паре? Только не думайте, пожалуйста, что владелец костюма не понимает, что он творит. Он творит "художественный стиль"! Не так давно ко мне заглянул приятель, из офиса. У него офис, бизнес, финансовые планы и всякое такое, в чем я не понимаю. Он, конечно, в серьезном темно-сером костюме.

— О, — говорю я слегка насмешливо, — какой солидный костюм!

И тут он приподнимает полу пиджака, и я вижу, что на "серьезной" ткани просвечивает любимое украшение подростков — череп с костями! И милый мой приятель стал мне еще милей. Остроумная борьба с повальной важной серьезностью!

Но вернусь к пятидесятым. К моей дорогой маме. Она любила наряжаться. Обожала. Во дворе жила портниха тетя Шура, которая за три рубля варганила маме платья. Бабушка за эти ее наряды не бралась. Кстати, не знаю почему. Спросить уже некого. Думаю, что у бабушки был "серьезный" вкус: собираясь в гости, она надевала свой единственный костюм, ткань пепита в мелкую черно-белую чуть скошенную клеточку, с воротником-шарфом. Было солидно, даже безукоризненно и очень "по-взрослому".

К маминым нарядам я относилась скептически, посмеивалась. Довольно рано стала покупать ей то, что считала более для нее подходящим. Когда она сама покупала себе какую-то обновку, то стыдливо прятала ее и говорила: не покажу, Люська, ты ругаться будешь... У мамочки был вкус, который можно было бы назвать дурным. Голубое с розовым, против которого я ополчалась. Но это повседневная одежда. А была еще и выходная. Для выходов у мамы были туфли, которые ей сшил армянский сапожник в предвоенный год, когда она уже заканчивала биофак. До середины шестидесятых мама заворачивала эти туфельки, "лак с замшей", в газетку каждый раз, когда шла в театр или в гости. И даже, кажется, свою кандидатскую диссертацию в них защищала.

Нарядное платье тоже было одно, пошитое в каком-то супер-ателье, помню его номер, произносимый с придыханием: "Сорок второе ателье"! Платье было черное, креп-сатеновое, не буду объяснять, что это за ткань, но она была двусторонняя, одна сторона блестела шелком, изнанка матовая. Может, наоборот. Так вот, верх платья был из блестящего шелка и вышит стеклярусом, что ли. Вышито высокохудожественно. Вышивальщица была отличная. Мастерица.

И еще в доме была случайная вещь — японское кимоно редкого сине-зеленого цвета с вышитым драконом на спине. Наверное, после войны кто-то завез диковинку... Это была безукоризненная красота, и мамина фотография в этом кимоно сохранилась. Наверное, с тех пор я и люблю эту японскую одежду. У меня есть несколько кимоно, купленных на привокзальном рынке в Киото. Купила оптом за сто долларов семь штук, ношеных, одно с заплаткой. Все — старье. Повседневные кимоно, такие, каких в Японии давно не носят. Там, в городах по крайней мере, кимоно надевают только по случаю свадеб или других семейно-торжественных мероприятий. Несколько из тех, купленных около вокзала кимоно я раздарила подругам, а несколько сохранилось, но я немного стесняюсь их надевать: это в молодости мне нравилось быть в центре внимания благодаря экстравагантой одежде, но с годами прошло. Хочется, чтобы тебя меньше замечали...

Пока мы с Любочкой проводили свои художественные эксперименты — я шила кожаную юбку из диванной обивки, она — пальто с застежкой на спине, наши мамы наряжались на свой вкус, определяемый журналом "Работница", и на наши эксперименты с одеждой смотрели не вполне одобрительно. Менялись моды, а мы, слегка поглядывая в сторону журнала "Линеа Итальяна" и "Кобета и жице" в театральной библиотеке, смело экспериментировали.

В те времена было одно узкое место у всех одевающихся женщин: обувь. Ее не было в принципе. То есть в мастерской Большого театра был, конечно, сапожник, может, Улановой он туфельки и шил. А может, их было даже два, но от нас это было слишком большое расстояние. К тому же денег таких у нас и быть не могло. Первые черные лодочки я купила в год окончания школы. Английские, на шпильках. Очередь от магазина растянулась до угла, метров на пятьдесят. Но мне достались! Вот было счастье!

До этих первых лодочек носили туфли, которые назывались "галошки". Это из комиссионных магазинов, куда мы наведывались с совершенно охотничьим азартом. В комиссионке же я купила первые в моей жизни колготки, которые тогда называли "тайцы", от английского слова "*tight*" — плотно прилегающий, плотный... Когда я вытянула с прилавка эти "тайцы", продавщица рассвирепела — у нее были свои планы относительно этой редкой вещицы.

— Это для балета! — предупредила она меня. — Это только для балерин...

— Давайте их сюда, я как раз балерина! — и темно-зеленые действительно плотные колготки оказались моими! Ура! Ох, много лет я их носила!

С обувью было смертельно сложно. Помню, что Люба из своей "охотничьей" поездки в Ригу привезла настоящие ковбойские сапоги, размера на три меньше, чем ей было нужно. Она их разрезала сзади, но все равно не смогла влезть. И сапоги достались мне. Влезть я в них смогла, но и мне они были малы на размер. Ходила в них с трудом, но ходила. "Великолепная семерка" еще не прошла по нашим экранам, и сапоги эти были столь экзотическим предметом, что надо было еще объяснять, что это за удивительная обувка... Вот тут-то и встала во всем своем драматизме проблема размера. Нога моя размера между 35-м и 36-м, но носила я обувь от 34-го до 39-го размера, какая попадалась. Откровенно говоря, и до сих пор не просто. Теперь, измученная пожизненным синдромом "сестер Золушки", если можно так выразиться, я очень требовательна именно к удобству обуви.

И моя скромность в одежде (нынешнего времени) происходит отчасти из-за моей колоссальной привередливости. Во всем нахожу дефекты: то застежка потайная плохо спроектирована, то кокетка высоковата, то вот блузка всем хороша, но нет боковых карманов: трудно, что ли, в шов заделать?

И вот именно по причине привередливости любимые вещи я ношу годами, до истлевания. И муж мой такой же. Думаю, что сегодня немного людей, которые чинят одежду. А мы с мужем чиним. Иногда самостоятельно, и надо признать, что у Андрея это получается лучше, чем у меня. Иногда я таскаю рванинку в мастерскую. Удовольствие не дешевое, иногда починка стоит почти как новая вещь. Но принципы всего дороже!

Когда-то, лет сорок тому назад, свою писательскую карьеру я начала статьей "Закон сохранения", она была опубликовала в журнале "ДИ", "Декоративное искусство". И посвящена была статья моей покойной подруге, театральной художнице Гале Колманок, которая была гением возрождения вещей. У нее (и у нас, подруг — благодаря ей) ничего не пропадало. Ни клочка ткани. Даже изношенная детская шуба, непригодная для дальнейшей жизни, шла у нее в дело — "здоровая" спинка была вырезана и этим куском обита скамеечка...

О, не забыть! Еще одна важная история. Ирина Уварова, моя старшая подруга, была тесно связана с кукольным театром. Она прекрасно знала его историю, его таинственную мистику и сама время от времени ставила кукольные спектакли как художник, иногда как режиссер. От нее я узнала интереснейшую деталь: одежду для кукол никогда не шили из новой ткани, надо было брать непременно уже изношенную, прожившую "взрослую" жизнь. Почему? А секрет! И мои изношенные вещи шли через Иру именно в театральную мастерскую, к кукольникам, которые пускали какую-нибудь малиново-лиловую кофточку "в последний путь"!

Итак, резюме. Во времена моей юности одевались люди по-разному, но гораздо беднее. Пальто "строили" годами, постепенно покупая отрез, потом подкладку, потом воротник, а потом, накопив денег на работу портному, получали готовое изделие, которое носили потом по двадцать лет. Не шучу! Именно так. И в моем гардеробе есть вещи, которым двадцать и более лет.

У меня даже есть подозрение, что с вещами, которые человек носит, образуется некоторая "мистическая" связь: они тебя любят, если ты любишь их. Есть такие вещи у меня, которые я надеваю, когда что-то идет не так. Есть особенно надежные, которые я надеваю, когда иду на сложную для меня встречу. "Счастливые" вещи, в которых девочки идут сдавать экзамены…

И последнее, пожалуй, что я могла бы добавить ко всему сказанному. Есть "мемориальные" вещи, которые я храню: шелковый мешочек от молитвенного покрывала, которое надевал на себя мой прадед, когда молился, крестильная рубашка, в которой крестили по меньшей мере троих членов семьи, халат и рубашечка, которые я подарила моей маме в мои университетские годы, в которых она и умерла. Долгое время хранились первые туфельки моего отца. Но они таинственно исчезли, как это происходит иногда с такими мемориальными вещами…

Бóльшую часть жизни я прожила в мире воинствующих материалистов. Кое-что они созидали, но гораздо больше разрушали. Человек оказался не только врагом дикой природы, об этом много говорится, но он оказался врагом материального мира.

Сегодняшнюю ситуацию я бы обозначила как "борьбу материалистов с материей". И тот лоскуток, с которого я начала, пусть будет маленьким флажком маленькой армии людей, которые отдают себе отчет в том, что, оберегая материальный мир от самих себя, мы оберегаем и саму возможность жизни человека на нашей планете.

Игры домового

Странная история: открыла нижнюю дверцу буфета, там стоит мясорубка и к ней насадка, которая сверху накручивается. Давно мясорубкой не пользуюсь, потому что мы мяса почти не едим. Старая, почти старинная вещь, не выбрасывать же… Смотрю — сам корпус есть, а насадки нет. Куда-то подевалась. Это у меня бывает. Через некоторое время снова лезу в буфет: насадка от мясорубки стоит, а мясорубки нет. Что за фигня? Игры домового?

Дальше — больше: было шесть бокалов. Стало семь. Потом все оказались разбитыми. Ковер утром лежит почему-то наизнанку. Потерялись ключи от дома. Дверь оказалась открытой. Хотела выйти на балкон — дверь намертво заделана, как будто никогда и не открывалась. Тонкие частые шажки вдруг послышались, как будто кто-то пробежал. На кровати на подушке сидит кот. Спрыгнул с подушки и исчез. Сроду я в доме котов не держала! Отреставрированный столик снова оказался неотреставрированным. Откуда-то возникла люстра из бабушкиной квартиры вместо геометрической современной палки с шестью светильниками. Фотографии покойных родственников оказались все перевешенными, а фотография прадеда пропала. Обнаружилась через два дня в книжном шкафу, за стеклом. Западная стена квартиры, на которой была балконная дверь и два окна, стала вся стеклянной, и квартира как будто выбежала на улицу и стояла голая на всеобщем обозрении. В столовой обнаружился диванчик, который когда-то стоял в бабушкиной квартире, и на нем бабушкин вязаный паутинкой платок.

Вечером раздался звонок в дверь, звонок прерывистый, из детства, пять последовательных всхлипов. Тогда снаружи под звонком висела табличка: один звонок общий, два Алимовым, три Шлеиным, четыре Каретниковым, пять Гинзбургам. Я по длинному коридору побежала открывать. За дверью стояла высокая худая женщина с сумкой, попросила поесть. Прошла мама с алюминиевой миской — в ней дымился суп. Женщина взяла миску и присела на поленницу, сложенную у дверей в комнату Алимовых. Прогрохотал сапогами Сашка-милиционер, сосед, подозрительно посмотрел на хлебавшую суп, зыркнул в сторону мамы: вы чего здесь харчевню разводите? Женщина отложила ложку, вылила себе в рот остатки супа через край и попятилась к двери. Выскочила, и коридор опустел, исчезли сундуки и шкафы, стоявшие вдоль стен, заблестел паркет, которого давно уже не было, запахло мастикой. Из кухни медленно выплыла пожилая дама с кружевцем на голове и с большим подносом в руках. Она осторожно несла поднос, на котором вплотную тесно стояли большая медная кастрюля, глубокая сковорода и сотейник. Нет, это не дама, а прислуга, от давности проживания в доме уже почти ставшая дамой. Из самой дальней комнаты выбежали большой мальчик в штанах до колена и маленькая девочка в клетчатом платье и белом переднике. За ними худая женщина с повязанной щекой. Они вошли в первую от входа большую комнату, которая давным-давно была переделена на три, а тут чудесным образом как будто срослась, и посередине стоял огромный стол под белой скатертью, во главе стола сидела женщина с большой головой в седых завитках, подобранных на макушке. Это была бабушка, но не совсем бабушка, скорее бабушкина мама или даже бабушкина бабушка. Рядом с ней справа лысый розовый пожилой человек, а с другой стороны, слева, маленький старичок с бородой в шелковой шапочке, а рядом та самая девочка в клетчатом плате и в белом переднике. Я присмотрелась — кажется, это была я.

А потом замелькало так быстро, не только с кинематографической скоростью, но даже с некоторой кинематографической прозрачностью… Электричка, набитая стоящими людьми с сумками, маленький стадион, на который мы с подружкой Женькой бегаем кругами и делаем длинную разминку, а тренер Николай Васильевич на нас посматривает презрительно. У него лицо американского киногероя, которых мы тогда еще и не видели, один Кадочников у нас был. Да еще только что запущенный по нашей улице трамвай, на который мы глазели с восторгом, дровяные сараи во дворе, инвалиды за грубо сбитым столом играют в карты на фоне палисадников с золотыми шарами… Потом, через паузу, химическая лаборатория, палатка, экспедиция на дальнее озеро, которое сегодня чуть ли не посредине Москвы, и все это на фоне постоянной учебы чему угодно: химии, математике, научному атеизму, эмбриологии, буддизму и философии, теории музыки и истории крестовых походов… И все мои семь квартир, которые перетекали одна в другую, а буфет, медная лампа и старое пианино путешествовали и расставлялись в тех же взаимоотношениях что всегда: у длинной стены пианино, у короткой против окна буфет, посредине стол, в углу тахта… Меняется вид из окна, меняются паспорта и прочие документы, девочка становится девицей, молодой женщиной, потом меняются мужья, рождаются дети, приходит старость…

Вхожу в последнюю квартиру — в ней следы поспешных сборов и уборки чужой рукой: все стоит не совсем так, чуть смещено. Дверь открыта настежь. Отсюда только что вышли люди… смотрю в окно вниз: возле подъезда толпа, два автобуса и катафалк.

И вот я тоже внизу, в толпе. Много цветов. Шестеро молодых мужчин выносят из подъезда гроб. В гробу стриженая седая старуха с плотно сжатыми губами и довольно неприятным выражением лица. Что-то знакомое. Да это же я! А толпа-то какая большая! Друзья самые любимые, и просто знакомые, и незнакомые люди. Лица у всех постные и снулые. Но меня никто не замечает. Всех интересует только гроб, в котором тоже я. Бывшая я. Как же все интересно! Дико интересно! Интереснее, чем химия и физика, чем эмбриология и генетика! Но здешнее знание закончилось, и уже началось другое, следующее, которое совершенно не исключает ни бинома Ньютона, ни правила левой руки, ни грамматики санскрита, ни приемов вышивания крестиком… Но люди, сгрудившиеся во дворе возле гроба, собирающиеся ехать в церковь, где отец Александр прочитает прекрасные молитвы про “со святыми упокой”, а потом на кладбище, не догадываются, что я с нежностью за ними наблюдаю, но никак не могу сказать: не горюйте, ребята, я с вами до тех пор, пока вам этого хочется…

Да, важное: не думайте, пожалуйста, что здесь все другое и новое. Кое-что сохраняется из области приобретенных знаний, кое-что проясняется из метафизических прозрений о природе душ, а кое-что остается загадочным, например: куда девалась насадка от мясорубки и куда потом исчезла сама мясорубка? Есть в жизни тайны…

Поездка с Геродотом

…Все складывалось прекрасно. Я убрала квартиру, как я обычно делаю перед отъездом, очень тщательно, с глубоко упрятанной мыслью, что, может, никогда сюда не вернусь и пусть дом будет в полном порядке. За полчаса до отъезда даже убрала на балконе какое-то давно копившееся свинство в виде окурков и прошлогодней палой листвы. Это не было запланировано, действие было совершено на нервной почве. На дорожку, которая обещала быть долгой, с ночевкой в Риме, тщательно собрала книжки для дорожного чтения: взяла “Прогулки с Пушкиным” Андрея Синявского, чудесную книжечку Марины Цветаевой “Где мой дом?” со стихами, прозой и письмами. И уже под конец, почувствовав, что этого мне на сутки может и не хватить, взяла маленький томик Геродота.

Путешествую я всегда налегке — зубная щетка, трусы и таблетки — и с легким рюкзаком, в приподнятом настроении путешественника отправилась в Шереметьево. Повезла меня Катя, которая сама имеет большой опыт путешествий, и по дороге рассказала мне, как она летела со старой и капризной мамой из Москвы в Португалию, где назначена была встреча с братом, который должен был прилететь туда из Цюриха, где работал типа в ООН... Но это была чужая история, и мало ли чего не бывает у других людей.

Катя довезла меня до Шереметьево, поставила машину на стоянку, хотя я и просила ее уезжать домой. Но она настояла на своем — проводить до паспортного контроля.

Шереметьево было на себя совсем не похоже — людей мало, если не считать небольшой очереди на паспортный контроль, и оказалось вдруг, что зал шереметьевский огромный, чего совершенно не видно, когда он полон муравьистыми людьми с чемоданами. Надо сказать, что все люди в масках, белых, черных, голубых — лиц не видно, снуют и толкают чемоданы.

Страшный сон. Вообще-то чувство сна — даже не очень страшного, но странного, — давно уже у меня в душе поселилось. И лица неразличимы, и дни неразличимы, и радуют только сильные грозы-дожди, которые выпадают почти каждый день. Это как бы в скобках и не относится именно к сегодняшнему приключению — природа побеждает город, в пустой Москве воздух стал заметно чище, свет сильнее, каждое дерево виднее. Ярче свет и тень, утро, ночь, день стали различимы, видно небо с самолетными растворяющимися на глазах разводами, видна жизнь липы, которая вся в плодах-орешках… ладно, улетаю-то я как раз от липы в одном окне, от клена в другом, от роскошной зеленой стены, которая в этом году особенно мощная в нашем писательском гетто…

Встала в очередь. Встретила Диму Крымова с женой Инной, которые стояли в соседней очереди на Ниццу. Стою, рассматриваю людей в масках. Впереди семья с тремя девочками, две младшие, близнецы, хорошенькие, а старшая, больная от рождения, дергается и трясет руками. Подхожу, начинают мои документы рассматривать — "пермессо" мое заканчивается в мае, и им неизвестно, что итальянцы продлили все эти "пермессо" до августа. На этот счет у меня бумаги нет и не было. Смотрят дальше — шенгенская моя виза, как выяснилось, закончилась. Я вообще-то ее рассматривала некоторое время тому назад и убедилась, что она до середины 21 года. Но рассматривала я, как выясняется, не шенгенскую, а британскую, которая с виду очень похожа. Милая девица говорит: а вы прямо сейчас быстренько возьмите билет на Лондон, а оттуда Рим, это просто… Это им просто, а мне совсем не просто. Главное, будь Алеша сейчас в Лондоне, никакого вопроса, но Алеша с семейством сейчас в Италии, и конкретнее, сегодня в Генуе, чтобы приехать ко мне завтра на ужин в родную деревню Коголето…

Беру я свой рюкзачок и бреду к Кате, которая ожидает торжественного момента моего перехода через границу, который не состоялся. И снова я в толпе людей в масках. И думаю: а у Геродота на краю земли живут собакоголовые люди, а на моем краю — маскоголовые. А если маски снять, неизвестно, что там…

Приехала домой. Квартира тщательно убрана, и даже балкон. Вытащила из рюкзака зубную щетку и Геродота. Отлично, думаю, вот самое время почитать античного автора.

Считать ворон…

Вчера утром подхожу к подъезду, около него толкутся голуби. Один с провисшим крылом. Инвалид. Бедняга — его первого кошки сожрут. Но на самом деле интересуют меня, конечно, не голуби, а вороны.

Их отдаленную жизнь я долго не замечала. Однажды заметила. Это была драматичная сцена: на тощее, еще зимнее дерево залез большой котенок, почти взрослый, и пытался слезть. Так бывает и с человеческими детьми, когда движение вверх опережает мысль о том, как с этой высоты потом спускаться. Это был, конечно, кошачий подросток, и он опасливо поворачивался на довольно тонких ветках, пытаясь спуститься.

С не свойственной его породе неуклюжестью он тыркал лапы туда-сюда, горбился и крутил головой. Его серая, с белой мордой голова была устремлена к земле, а хвост смотрел в небо. Его эквилибр на ветках голого дерева был до смешного нелеп. Не одна я за ним наблюдала — с недалекой крыши двухэтажного детского сада подлетела ворона и уселась на соседнем дереве. Но оказалась она не любопытствующим наблюдателем, а хищным охотником. Она перелетела поближе к несовершеннолетнему коту, на ветку над ним. Кот забеспокоился, закрутил головой. А ворона начала свою игру: мелкими перелетами она приближалась к коту, и тот, разгадав маневр, заторопился, пробовал на прочность передними лапами ветки, но надежной не находил. Ворона уселась на ветку прямо над его головой, наблюдала за нервным котиком и, вероятно, обдумывала стратегию. А потом ринулась на кошачью голову, намереваясь клюнуть жертву в глаз. Кот махнул лапой, потерял равновесие и чуть не упал с дерева. Но врага отогнал. Я долго смотрела на эту дуэль, но победитель не выявлялся так долго, что я ушла, не досмотрев до конца.

С тех пор я очень внимательно наблюдаю за воронами, тем более что у меня появилась замечательная смотровая площадка. Из кухонного окна моей квартиры на шестом этаже открывается богатый событиями, разнообразными отношениями, ссорами, ухаживаниями и любовью мир ворон.

Я стала сыпать на крышку кондиционера под моим окном геркулес или что под руку попадет, зависала за занавеской и наблюдала птичью жизнь. Правда, чаще прилетают голуби, которые мне не так уж интересны, но иногда прилетают и вороны. Некоторых я уже знаю в лицо — черную с двумя серыми полосами на крыльях, пеструю с черно-белыми островками на спине и крыльях. Иногда они ссорятся, иногда целуются, иногда гоняют соперников от корма. Есть одна парочка, которая меньше интересуется кормом, чем продлением рода. Когда прилетают вороны, а не голуби, я немедленно выкладываю им что-нибудь мясное — колбасу, котлету. Вообще-то мы очень редко устраиваем им такой праздник, потому что у нас в доме мяса почти не бывает. Но вороны, о чем мы и раньше знали из художественной литературы, любят сыр. И вот я божественной своей рукой кладу на импровизированную кормушку кусочки сыра. Они меня благодарят. Кланяются. Могли бы говорить, непременно сказали бы “спасибо”.

В этом году на тополе напротив моего окна поссорились три вороны — там в раздвоенном стволе торчало пережившее зиму старое гнездо. И они стали его ремонтировать. Все трое. А потом самка выбрала себе подходящего самца, и новая парочка стала прогонять третьего лишнего. И через несколько дней он исчез. Теперь одна ворона сидит на гнезде, один хвост торчит, а вторая — второй! — кормит ее. Притаскивает в клюве довольно крупные куски не разгляжу чего. Я знаю, откуда она (он!) их берет: недалеко помойка, и заботливые отцы семейств разрывают клювами пластиковые пакеты, вытаскивают оттуда самое вкусное и тащат в гнездо. А я сижу на окне и оторваться не могу, наблюдаю эту кормежку. Скоро выведутся птенцы, и тогда я буду считать ворон — сначала их почти не видно, потом они подрастут и начнут высовывать головы с разинутыми клювами. А родители будут кормить детей, и я уже не смогу разобрать, кто отец, кто мать. Потом птенцов начнут учить летать — иногда они падают, и родители их поднимают, подталкивая клювами и крыльями. Умные, хитрые, семейственные, они всё больше мне нравятся.

Я давно полюбила восточную мысль о перерождении. Один индийский гуру Син-юнь считал, что перерождение не размывает "Я", ядро личности сохраняется неизменным и не зависит от тела, в котором это "Я" временно пребывает. Но он же считал, что человек не помнит свои прошлые жизни из-за "замешательства перерождения". Этот промежуточный период между прожитой жизнью и новым рождением — по индийским представлениям — человек не должен помнить. И, чтобы эту память удалить, ангел перед рождением нового человека проводит пальцем между носом и верхней губой — и образуется “носогубная складка”. Правда, в последнее время многие женщины удаляют эту “складку забвения” косметическим способом, но пока нет сведений о том, возвращает ли эта процедура утраченную память о прошлых жизнях.

И еще я знаю индийскую притчу о том, как один индийский гуру двадцать лет медитировал под деревом в ожидании индийской условной смерти, в подготовке в следующему перевоплощению, но в последнее мгновение жизни увидел прекрасного оленя, отвлекся, залюбовался им, тут же умер и перевоплотился в оленя.

Если бы я верила в эту замечательную легенду, я бы предпочла перевоплотиться в ворону.

Увидите ворону — не убивайте ее. Вдруг это я?

Женщина, которую никто не помнит…

Женя Шафран

Женя Шафран ее звали. Не то дальняя родственница, не то бабушкина одноклассница по гимназии. А скорее и то и другое. Она изредка приходила к бабушке. Считалось, что она слегка сумасшедшая. Да и выглядела соответственно общественному мнению. Бабушка отдавала ей свои благородные вещи из качественных тканей, пошитые в дорогом “Сорок втором ателье”. И Женя, получив слегка потертую, но солидную вещь из бабушкиного гардероба, производила легкую реконструкцию — пришивала множество непомерно больших пуговиц или разноцветных ленточек на борт бывшей приличной вещи, превращая ее в наряд костюмированного бала. Она было нарумянена, губы ее были накрашены красной помадой такого цвета, который был только при советской власти, — цвета первомайского знамени.

Улыбка не сходила с ее напомаженных губ, и улыбка эта меняла свои тонкие выражения: искательная, просительная, заискивающая, наконец, улыбка облегчения, когда она заканчивала свой визит и направлялась к двери. Бабушка провожала ее. В руках у Жени была старая бабушкина сумка, полученная несколько сезонов тому назад, набитая новыми трофеями из бабушкиного очень достойного старья. На прощанье бабушка выдавала Жене конверт, в котором лежала — откуда-то знаю — большая пятидесятирублевая бумажка. Приходила Женя раз в месяц. Ее нет, и никто о ней не вспоминает.

Люся Колодная

У бабушки была подруга по калужскому детству, Люся Колодная. Чаще она приходила одна, но иногда — в сопровождении мужа, старого большевика. Люся была худая, веселая, с громким голосом и круглыми бровями, элегантная, принадлежала к высшему кругу, к миру больших партийных начальников. По мужу, конечно. По отношению к бабушке она была скорее благотворительница: приносила к нам какой-то документ, по которому можно было отовариться в подвальном магазине в Доме на набережной. Этот документ вообще-то никому передавать было нельзя, но моей бабушке большевистская семья доверяла и давала документом попользоваться на время отъездов в санатории для старых большевиков. Это были своего рода продуктовые талоны. И мы покупали и съедали не для нас предназначенные продукты: сливочное масло, копченую колбасу, красную икру, апельсины и бананы. А что еще — не помню. Какие-то ценные консервные баночки.

С тех пор прошло семьдесят лет. Недалеко от нашей семейной могилы, где похоронены бабушка, ее сестра, дед, мама, дядя, лет двадцать (или тридцать?) тому назад я увидела заброшенную могилу, на которой стоял камень с надписью "Люся Колодная". Не Людмила, именно Люся — домашнее сокращение от неизвестного мне имени. Обнаружив эту могилу, я стала и на ней прибираться, какие-то цветочки сажать. Кроме меня никто к этой могиле никогда не подходил. Детей у Люси Колодной не было. А года два тому назад могила исчезла, на этом месте теперь лежит другой покойник. На нашем Немецком кладбище такое происходит время от времени. Кладбище это давно закрыто, никого там не хоронят. Но за очень большие деньги могут и положить: какую-нибудь забытую и заброшенную могилу ликвидируют, а место передают богатому покойнику. Люсиной могилы больше нет. Я чувствую себя виноватой.

Светлаева

Никто не звал ее по имени, тем более по имени-отчеству. Светлаева, только так. Бухгалтером она была, и по этой веской причине избрана была старостой на общем квартирном собрании, проходившем на кухне, среди семи кухонных столов. Раз в месяц, пятнадцатого числа, она вывешивала на стене в кухне бумагу, на которой было написано, кто сколько должен заплатить за коммунальное электричество. Остальное потраченное семьями электричество учитывалось по счетчикам, установленным в каждой из семи комнат. Славилась Светлаева еще и тем, что запах от ее стряпни был очень притягательным. Никто не умел готовить такие пахучие супы и возбуждающие ноздри котлеты. Внешность у Светлаевой была исключительно запоминающаяся: морщинистое острое лицо крепилось на маленьком толстом туловище. Как будто из двух разных людей ее собрали. Обе ее дочери удались более гармоничными: одна худая и острая лицом и телом, вторая с маленьким толстым лицом, вполне подходящим круглому туловищу. От кого Светлаева родила своих дочерей, никто не знал, но на стене ее комнаты висел писанный маслом портрет военного, предполагаемого отца ее дочерей.

Светлаева была точна и необычайно скандальна. С родней рассорилась рано и окончательно, подруг никогда не заводила, и поделиться своей бедой было ей не с кем. А беда ее была в том, что дочки ее, едва войдя в половозрелое состояние, загуляли. Загуляли очень тихо — просто время от времени не приходили домой ночевать, и каждый раз нарушение семейной жизни заканчивалось тем, что мать брала сложенную вдвое бельевую веревку и хлестала ею по спине провинившейся дочери. Но это было в ранние годы девичьей жизни, а слегка повзрослев, они вдвоем связали мамашу этой легендарной веревкой и отшлепали — не больно, но оскорбительно, указав ей место не руководителя жизни, как она привыкла, а управительницей завтраками и обедами, что тоже было ее пожизненной привычкой. С тех пор мать присмирела и замкнулась, а девочки продолжали свою таинственно-распутную жизнь. С кем они гуляли, оставалось тайной до конца их недолгой и богатой приключениями жизни. В течение одного года Светлаева потеряла их обеих: Валентину убили при невыясненных обстоятельствах, а Зинаиду зарезал трамвай.

Светлаева осталась одна и совсем перестала готовить. На кухню не выходила — пользовалась кипятильником в своей комнате, хотя электричества нагорало от маленького кипятильника изрядно. Она по-прежнему раз в месяц вывешивала сводки о коммунальном электричестве — кому сколько платить исходя из состава семьи.

Однажды пятнадцатое число пришло, а списка нет. И шестнадцатого нет. Постучали в дверь —

не открывает! Дверь заперта изнутри. Вызвали милиционера. Взломали дверь. Нашли Светлаеву мертвой в белой постели, в белой жестко накрахмаленной рубашке. В ней и похоронили. Комната простояла опечатанной несколько месяцев, а потом в нее вселился Сашка-милиционер. Заполнил пустое место. И ни один человек на свете Светлаеву не вспоминает.

Неизвестная художница

Смолоду Оксана была старая и некрасивая. Мужчины ею нисколько не интересовались, да она на это и не рассчитывала. Работала в заводоуправлении на мелкой должности, ведала перевозками, которых было не так много, и вполне справлялась. И даже время оставалось на болтовню и перекуры. Впрочем, Оксана не курила, но иногда выходила вместе с сослуживицами постоять в дымном облаке. В обеденный перерыв, когда большинство женщин уходило в столовую, она быстро съедала свой домашний бутерброд, вынимала из сумки пяльцы и вышивала тонкой иголкой тонкими нитками тонкие цветы: то незабудки, каждую в отдельности, с подробностями и поворотами головки, то ромашки, чтобы был виден возраст новых, только раскрывшихся, и тех, кто уже на исходе цветения и грустно повесил уставшие лепестки. Навышивав целый сундук батиста, льна и шерсти, Оксана заболела и быстро умерла. Была она одинокая, комнату ее в заводском доме дали другой одиночке, помоложе, новой секретарше Вере. Вера была ленивая и неряшливая, опрятная комната Оксаны быстро превратилась в берлогу, полную мусора и стеклянных банок, которые новой жилице лень было выносить на помойку. Даже вещи покойной Оксаны новая хозяйка не вынесла, так и стоял в углу Оксанин сундук с вышивками. Потом Вере дали однокомнатную квартиру, и въехала в комнату новая жилица, очень хозяйственная и бережливая Катя. Она разобралась со всем прежним барахлом, заглянула в Оксанин сундук, залюбовалась вышивками. Выбросить рука не поднималась, и она собрала все вышивки в большую сумку и отвезла в музей декоративного искусства. Там их разложили на большом столе, и все сотрудницы сбежались смотреть. Зашумели, заахали, стали говорить, что такой работы у современных мастериц не бывает и такой техникой владели только в девятнадцатом веке. В музей! В музей! Сохранить на века! И спрашивают фамилию мастерицы. А Катя не знает. И никто не знает. Сотрудники музея сделали большую выставку из Оксаниных работ и даже повезли ее на заграничную выставку в город Париж. Все зрители тоже ахали и восхищались работами неизвестной мастерицы. Так и было написано — “Работы неизвестного мастера середины XX века”. Вышивки остались, а Оксану никто не помнит.

Ушедшие

Ополченец

Глухой на одно ухо, с давним и глубоким шрамом за ухом после трепанации черепа, перенесенной еще в гимназические годы, дед мой, тогда пятидесятипятилетний, прибыл на сборный пункт в Староконюшенный переулок. Мобилизация считалась добровольной, и с этого дня он был ополченец. Смертник, как он понимал. По этой причине он надел на себя старое пальто, а новое, с меховым воротником, пошитое в сороковом году, оставил в шкафу. Может, еще вернется семья из эвакуации и жена сможет продать солидную вещь для прокорма детей. Бурки очень хорошие, теплые, но другой обуви не было, и он надел их с некоторым сожалением.

Долго ждали машину. Мороз стоял сильный. Наконец пришел открытый грузовик с надшитыми бортами, в него все и сели. Пожилые мужчины и мальчишки. Ехали недалеко — на Волоколамку. Хотя было очень холодно, но по-настоящему промерзнуть не успели. Выгрузились. Раздали оружие — восемь винтовок на тридцать человек. Дали паёк — каждому.

Дед мой обтер снегом руки и разломил хлеб. Пока обтирал руки, заметил пристальный взгляд: рядом стоял невысокий человек в полушубке, не вполне военного вида, в золотых очках. У деда знакомых было множество — он подумал, что перед ним какой-то человек из прошлой жизни.

Тот подошел:

— Москвич?

Дед кивнул.

— Сивцев Вражек знаете?

— Конечно. Я на Патриарших живу.

Тот все смотрел, как будто сомневался, говорить ли.

— Как вас зовут?

Дед назвался. Дед тоже был в очках и тоже невоенного вида. И роста они были одного, и еще было какое-то сходство неопределенное — какое бывает у однополчан, одноклассников, земляков, у отсидевших срок.

— В вас виден порядочный человек. Я попрошу вас об одном одолжении. Подождите здесь.

Он поднялся на крыльцо, оббил валенки друг о друга, вошел в облако пара и через минуту вынырнул из него. В руках у него был рюкзак.

— Отнесите, пожалуйста, в Сивцев Вражек. Вот адрес. Отдайте моей жене Елене Львовне. Здесь паёк и немного денег.

— А как же я вернусь?

— Идти вам не меньше трех часов, а через шесть часов… — запнулся. — Я военврач, уйти не могу.

— Я отнесу, но ведь получится, что я… покинул ополчение.

— А-а, — махнул рукой военврач. — Что тут размышлять, это не просьба об одолжении, это приказ, — передал ему рюкзак и черкнул что-то на листочке, выдернутом из записной книжки.

И дед ушел с войны. Он дошел до Сивцева Вражка, разыскал Елену Львовну и передал ей посылку от мужа. Худая женщина с темными кругами под глазами предложила ему зайти отогреться, но он поблагодарил и убежал. Он действительно не ушел, а убежал: его дом был в пяти минутах ходьбы, и он решил забежать домой, чтобы поменять пальто на то новое, теплое, с меховым воротником…

В этот день прислали подкрепление — от Ельни перекинули сибирскую дивизию в белых маскхалатах поверх полушубков. В один день все поменялось. Закончилось немецкое наступление на Москву. Немцы отступили. С ополчением поступили по-умному: тех, кто помоложе, отправили в добровольческую дивизию, под Ржев, а престарелых отправили по домам. Дед же вернулся к своей секретной и странной работе: он был инженером на строительстве одной из тайных линий метро, оно называлось МЕТРО-2, с бункерами и укрытиями и даже с квартирами для высших избранников. Пробивали эту единственную линию глубже пассажирских веток, и были там всего одна колея и специальные витки для разъезда. Предназначалось это секретное метро для Сталина и его помощников...

Детям, рожденным во время войны, родители ничего не рассказывали о прошлом. Историю эту рассказал дед незадолго до смерти, в восьмидесятых годах прошлого века.

Леночка Авалиани

Никто и никогда не называл ее Леной, всем была Леночка. Кажется, мы познакомились у Елены Яковлевны Ведерниковой в те годы, когда та на Плотниковом переулке собирала христианских девочек. И я туда попала в тревожном юношеском поиске — куда голову приклонить. Антропософию и всякие восточные предложения я к этому времени уже отвергла и приблизилась вплотную к христианству. Я там довольно долго простояла, но и оттуда вынесло. А Леночка простояла до самого конца. Без колебаний и без сомнений. В те годы у отца Андрея, вернувшегося из эмиграции священника, под руку которого мы прибились, была сверхидея христианизации иудеев, и он радовался православным евреям, полагая, что то, чего не удалось Иисусу, удастся ему. Так мы около него и кучковались: Миша Горелик, Элла Семенцова, я. Ну, Георгий Эдельштейн, конечно, был первым среди равных — стал священником, и служит по сей день в какой-то деревне в Костромской губернии, и разрушенный храм там восстановил…

Вот в этом православном салоне я Леночку впервые и увидела. Большая и толстая, всегда улыбающаяся, она была провизор, выходила из аптеки с сумкой лекарств, а потом звонила: Люсенька, вот я взяла, ну, скажем, пирамидон. Случайно не ты просила?

Это были времена всеобщего дефицита, и хлеба без очереди невозможно было купить, не говоря уж о лекарствах.

Леночка родила троих детей с Митей Авалиани, от которого и породистая — может, даже и княжеская, но уж точно дворянская — грузинская фамилия у ее детей. Суффикс "ани" в фамилии, как мне говорили, — свидетельство дворянского происхождения. Митя, ее муж, был талантливый поэт, маргинал по своей природе, простодушный, как и она, и умный — на особый лад. Лицо красивое, которое трудно было разглядеть, потому что всегда смотрел в пол, сгорбленный болезнью Бехтерева, которая его и угробила. То есть по развитию этого недуга он должен был дожить до полной неподвижности, но машина его сбила раньше: он голову не мог поворачивать, и судьба ночной машиной выскочила из-за угла и сбила насмерть. Так он избежал многолетней неподвижности, а досталась она Леночке.

О Мите, конечно, следовало бы отдельно написать. Но дружила я с Леночкой, а его всего лишь устроила лифтером в наш писательский кооперативный дом, и он сидел в подъезде, писал свои великолепные стихи, а мимо него проходили настоящие советские писатели и поэты, члены писательских профсоюзов, которые в подметки ему не годились.

Но я про Леночку. Двадцать лет тому назад она перенесла тяжелый инсульт, ей сделали три сложнейшие операции в институте Бурденко и оставили на двадцать лет жить — сначала еле подвижной, а последние годы и вовсе лежачей. И лежала она смиренно, временами даже весело, в обнимку с христианством, которое ее держало. Как у Христа за пазухой. Я все эти годы навещала ее и всегда восхищалась Леночкиными терпением и смирением. Она была мне учителем — этот ее подвиг был бы мне не по силам. Нашла бы способ ускользнуть. А у нее были иконы картонные и бумажные, и на дереве написанные, и молитвословы, и календари, и Шура Борисов, приезжавший и причащавший — накануне смерти был последний раз, — на всем этом она и держалась, и получилась у нее христианская кончина мирная, но довольно болезненная, правда, а насчет непостыдности — не знаю. Это Леночкина дочка Маша знает, она меняла ей памперсы… Двадцать лет лежачей инвалидской жизни Леночки совершили чудо с ее дочкой: Машка, девчонка шальная и неуправляемая, выросла во взрослого ответственного человека, великодушного и мужественного. Вот единственный плод Леночкиного томительного двадцатилетнего лежания с молитвословом в руках. Что мы знаем о причинно-следственных связях в этой плохо проговариваемой области?

Вспоминаю, как я привела маленького Алешу на кладбище, на могилу моей мамы, и сказала, что она была редкостно добрым человеком. И он спросил: а куда делась ее доброта после смерти? Это был гениальный детский вопрос. Я ответила патетично: она пребывает вовек. Или что-то в этом роде. А что тут скажешь?

Климочка

Один из самых давних друзей — Климочка. Володя Климов. Умер сегодня. Позвонил его друг, сожитель, не знаю, как назвать, партнер? Они были пара, и жили вместе много лет…

Не помню, кто нас с Климочкой познакомил. Но в те времена я была замужем за Юрой, может, и замужем еще не была. Точно, не была. Кажется, Володя к тому времени уже закончил философский факультет и был единственным гуманитарием в нашем кругу. Мальчики вокруг были физики-математики, я со своими подружками — биофаковская. Он же был носителем другого знания, о котором мы, соприкасавшиеся с философией через университетские курсы научного атеизма, научного коммунизма и тому подобной неприличной жвачки, понятия не имели. Я-то еще была из тех, кто книжки читал, и классе в шестом почему-то прочитала историю западноевропейской философии для советских людей, которая вся вела от Сократа-Платона к высотам марксизма-ленинизма. Про Платона я открыла (книжку, физически!) в ранние годы, до Гегеля не дотянулась, а в молодые годы меня завел мой интерес к метафизике в лес антропософии. Тоже род философии с практическим оттенком. Это был неплохой лес, точно получше курса научного атеизма.

Климочка принес с собой не философскую теорию, а скорее практику. Разговаривать с ним было исключительно интересно. Он умел про сложные вещи говорить просто, да еще и с юмором. У нас был сезон любви — ничего сексуального!

Мы провели с ним несколько недель под Тарусой, и я уж не помню, как получилось, что мы оказались вдвоем. Кажется, собирались ехать втроем, но мой муж Юра не смог поехать. Снимали мы одну комнату, и поначалу я готовилась к отпору, но отпора не понадобилось: никакого мужского интереса он ко мне не проявлял, и тема эта закрылась раз и навсегда. Тогда я еще не знала, что любовь, ему отведенная, искала не женского пола.

Я вообще была мало осведомлена об этом разделении на гетеросексуалов и гомосексуалов. Тогда говорили "гомосексуалист", и слово это было страшное и таинственное.

Было начало лета, когда пошли первые грибы. Их было несметное количество. Я не большой любитель этого промысла, кажется, с тех пор никогда и не ходила "по грибы". Корзинок у нас не было. У Володьки была спортивная сумка, а у меня болгарский матерчатый чемодан, с которыми мы и отправлялись в лес. Далеко не ходили. Помню наш первый выход — набрали сначала всякой грибной ерунды: все-таки не мухоморов, но сыроежек и немного подосиновиков. Заполнив все имеющиеся объемы, хотели вернуться, но на обратном пути обнаружили, что мы не те грибы собирали: увидели множество красных подосиновиков и сероватых белых. И вытряхнули первый сбор и собрали хороших грибов. Как же мы радовались на этих прогулках! Я помню, как мы остановились на заброшенной дороге перед идеальным "ведьминым кольцом" из девяти некрупных белых. Долго любовались, прежде чем срезать. Ходили, конечно, с ножами — какой настоящий грибник вырывает из земли гриб, отдирая от подземной грибницы! Дома мы грибы чистили, мелкие нанизывали целиком, крупные резали. И разговаривали. Упаси господи, не о философии! О жизни, которая при любом повороте разговора уводила в непривычный для меня ракурс. Он знал и видел совершенно незнакомую мне структуру мира, и я понимала, что значит философия, когда мы говорили о самых обыденных вещах. Как это у Пастернака: “Слова могли быть о мазуте, но корпуса его изгиб дышал полетом голой сути, прорвавшей глупый слой лузги…”

Но никакой пастернаковской возвышенности — всегда негромко, спокойно, с изумительным чувством юмора… Кажется, тогда впервые — нет, во второй раз! — я встретила человека с совершенной памятью. Он помнил все, что прочитал, не фотографически, а смыслово. Ничего от него не ускользало, текст он видел с подтекстом, и каждый текст расширялся мгновенно ассоциациями, вариациями, как это бывает в музыке, когда тема появляется, растет, расширяется, дает боковые побеги и возвращается, разворачивая смысл.

Да. Музыка. Всем известны эти соображения, как математика близка к музыке, какие формулы и тропы общие у этих сближающихся в невидимом небе дисциплин. Но у Володи музыка была срифмована с философией. Как он знал и понимал музыку! Я не встречала в жизни ни одного музыканта, который мог бы так, как это делал он, рассказать о слышимом.

У него был свой консерваторский круг таких же, как он, ценителей и любителей. Какая здесь существует таинственная связь, я не знаю, но половина этих мальчиков явно была “голубыми”.

Я довольно часто встречала его в консерватории. То есть всегда, когда выбиралась на какой-нибудь хороший концерт, на заезжего исполнителя, встречала Климова в его музыкально-гомосексуальной компании.

Никаких научных исследований на этот счет, кажется, не существует, но какие неведомые генетические сцепки соединяют эти качества, способности или особенности, я не знаю. Повышенная тонкость восприятия?

Много позже я написала рассказ "Голубчик", который не был бы написан, если бы не моя дружба с Володей. Мы никогда не обсуждали специально эту тему, но все же какие-то сведения о сложности жизни гомосексуального человека в советской стране просачивались в наши разговоры. В особенности после того, как его по этой самой статье посадили и он год провел в Бутырской тюрьме и выкрутился в конце концов, закосив, через "психушку".

Я уже была биологом, и кое-какие вещи, недоступные его судьям, были мне понятны. Речь, конечно, шла о "восьми полах". Формулировка моя, и до сих пор мне кажется, что это не сплошная глупость. Сделаю небольшое отступление: определение пола имеет три ступени: хромосомное, зависящее от того, обладает ли особь хромосомным набором в 23-й паре *XX* или *XY*. Это первичное определение пола. Во внутриутробном периоде, довольно рано, происходит вторичное определение — гормональное. Начинают работать мужской и женский гормоны, которые имеют общего предшественника, и вот на этом уровне может происходить сбой, и "хромосомный" мужчина может получить гормональную систему, которая работает как женская. И наоборот. Таким образом мы имеем уже не два, а четыре варианта. Процент таких "аномальных" особей невелик, но в популяции довольно постоянен. Существует еще и третий уровень определения пола, о котором ученые по сей день мало знают, — уровень высшей нервной деятельности. Когда ребенок осознаёт, кто он: мальчик или девочка. Это происходит довольно рано. Таким образом, возникает еще четыре варианта. Легко прикинуть. Всего восемь.

Наверное, сегодня есть на этот счет много научных статей и несколько теорий. Но я возвращаюсь к моему другу Климочке.

После того как он вывернулся из тюрьмы, его научная карьера закончилась. В Институт философии, где он работал до посадки, он больше не вернулся. Работал какое-то время в журнале редактором, потом и оттуда ушел. Я многие годы ему подкидывала на лекарства. Он был насквозь больной. Не так давно написал мне, чтобы я больше ему не переводила деньги. Я удивилась, но сняла его с раздачи. Он точно не разбогател перед смертью. Может, появился какой-то другой "спонсор"? Болел он давно, но я не знала, что у него рак.

Последние годы мы почти не виделись. По крайней мере с тех пор, как он открыл счет и я стала переводить ему мелкую помощь через банк. Изредка переговаривались по телефону. Он жаловался на здоровье. Но он всегда жаловался на здоровье. Был, как мне казалось, мнителен. Теперь я поняла, что мнителен он не был. Мнительна была власть, которая людей такого толка подозревала в преступлении против государства, и существовала статья Уголовного кодекса, вступавшая в противоречие с природой, которая далеко не всегда готова была подчиниться советскому законодательству. Он жил в глубоком страхе.

Бедный мой друг Климочка! "Черт догадал меня родиться в России с душой и талантом", — сказал Пушкин. Черт догадал моего друга родиться в России с душой, с талантом и к тому же геем! — это можно сказать о Володе Климове.

И тут появился Сергей Бархин...

Заканчивается поколение родившихся до войны, переживших все коленца власти: смерть Сталина, тупую темноту Брежнева, веселенькое время Хрущева и прочее, прочее... Умер Сергей Бархин, один из последних художников, преодолевавших серость и мрак советского времени. Он создавал свое собственное время, а это мало кому удавалось

Сергей происходил из хорошей семьи. В стране разрушенных храмов, сожженных усадеб и пущенных в топку библиотек сохранившийся семейный архив — чудо. У Бархиных сохранился, и Сергей издал замечательную книгу о своих достойнейших предках.

Семья Бархиных вела свое происхождение от деревенского красильщика Найденова, мастера Хлудова, вышедшего в первые русские капиталисты, и пермского иконописца Бархина.

Благодаря опытам Даггера и Ньепса только что возникшая в те годы фотография фиксирует лица, одежду, комнаты и дома, чтобы родившиеся через сто лет потомки заинтересованным взглядом рассматривали носы, уши и скулы на жестких, поразительного качества фотографиях и узнавали свои родовые черты…

Мне повезло — много лет я общалась с Сергеем. Сохранились мои заметки разных лет, в которых он присутствует. Он сыграл огромную роль в моей жизни. Хочется начать с его давней выставки, где в качестве материала используется земля. Та, которая у нас под ногами…

Вот Сергей Бархин выходит из своей московской квартиры близ Курского вокала вечерком погулять с собакой и в десяти минутах прогулочного хода оказывается возле физкультурного диспансера. Это дом его предков, построенный архитектором Жилярди, был куплен прапрадедом Сергея и принадлежал некогда его бабушке, умершей в 1926 году и провожаемой тысячной толпой старух, ее сверстниц, переживших и ее, и те богадельни и больницы, которые она в свое время в Москве создала.

Сергей Бархин нагибается, берет горсть земли от порога родного дома, которую зашивали в ладанки, уносили с собой в изгнание, высыпали на могильные холмы вдали от родины. Но, кроме ценности мемориальной, эта горсть есть и предельная реальность: сюда вмешана зола деревянных перекрытий, и прах растений, посаженных его прабабушкой, и тлен беседок, наполненных вечерним смехом и любовными признаниями. Он пока не знает, что он будет делать с этой горстью земли. Но это уже материал.

Привычный для художника материал — иной. Он театральный художник, и в своем деле — мастер “черного пояса”. В том художественном пространстве, которое он умеет строить, материалом может быть все что угодно: дерево, железо, бумага, стекло, ткань.

Но вот наступил момент, когда его любимым материалом стала земля.

“Почва — природное образование, состоящее из генетически связанных горизонтов, сформированных в результате преобразования поверхностных слоев литосферы под воздействием воздуха, воды и живых микроорганизмов. П. состоит из твердой, жидкой (почвенный раствор) и живой (почвенная флора и фауна) частей”. Это заметка из энциклопедии.

И еще в почве есть память. Вещественна она или невещественна? Если исследовать эту горсть земли под микроскопом, можно найти мельчайшие частицы дерева, стекла, собачьей шерсти, слез, крови и пота. Сама Мнемозина, богиня памяти — дочь Урана и Геи, Земли и Неба — над ней поработала.

“Все, собственно, началось с той земли, что я взял во дворе, — говорит Бархин. — И тогда я еще не знал, куда это меня поведет”.

Одна из первых “земляных” работ. Год 1988-й. Дворовая земля, пропитанная детством, футболом, звоном и скрежетом трамвая и ужасом первой близкой смерти — сосед по кличке Лиса, десятилетний верховод дворовых мальчишек, попал под трамвай, и забыть это невозможно.

В этих первых картинах Бархина с использованием земли есть еще краски. Потом краски уходят, оказывается, что одной земли достаточно. Благодаря горсти этой подлинной земли и сам дом Найденовых–Хлудовых присутствует на картине физически в странном и волнующем совпадении образа, изображения и самого объекта изображения.

Потом краски постепенно уходят. Художник начинает ощущать некоторую абсурдность технологического процесса, при котором краски, произведения земли, из нее извлекаются, очищаются, чтобы потом опять быть с нею смешанными. Картины, нарисованные землей в ее бесконечных оттенках, от белого камня с гробниц еврейских пророков до черного, драгоценно-сверкающего антрацита Воркуты, через все гаммы умбры и охры, и сама Земля становится палитрой. Она есть основа и уток удивительной ткани, которая образуется под руками художника. Ткань овеществленной памяти.

А сколько может вместить память одного человека, от первого начала: мать, отец, молоко, яблоко, игрушка, картинка, кошка... Отсюда разбегаются круги, раскатываются волны бесконечно, безгранично, в глубины истории до предела, до неолита, и еще глубже, в мел, в триас и в высоты искусства, в пространство Гомера, Данте, Шекспира, и еще глубже, где Моисей, Иоанн... Здесь почтительно остановимся.

И все это знание, вложенное в память одного только человека, связано еще и с горами, реками, городами и селениями. И чем обширнее знания, тем глубже память, тем родней человеку земля, и душа его становится так же отзывчива к берегу Яузы, где он родился, как и к берегу Иордана... И если прибавить к знанию, к памяти еще и творческое усилие — возникает культура.

Художник Сергей Бархин собирает землю. Сложенная в пакет, она становится драгоценной. У него целая коллекция — невозможно вообразить — образцов земель. Замечательная завитушка биографии: лет тридцать тому назад, в один из жизненных поворотов, он ушел в геологическую партию на Северный Алтай. Именно с тех пор и сохранились первые трофеи — друзы горного хрусталя, аметистовые щетки. Но сегодня в дело идет другое.

Вот архитектурный план Помпеи, выполненный из земли, смешанной с пеплом и лавой, извергнутой Везувием в 79 году. В этой земле, взятой Сергеем Бархиным со сцены Помпейского театра, замешаны истлевшие ресницы и пряжки красавиц, гуляющих по мозаичным полам двухтысячелетней давности. Подлинная земля, хранящая время. На плане все точно: улицы, кварталы, Одеон, публичный дом, вилла братьев Виттиев… На втором курсе института Сергей делал задание: разрез дома в Помпее. С тех пор и помнит.

“Каждый кусок земли — как слово, как буква”, — говорит художник. Но что же тогда представляет собой текст? Он сакрален и, следовательно, не вполне переводим на человеческие языки.

Картина — не конечный результат, а запись грандиозного события, в которое оказываются физически включенными — через землю — все участники происшедшего. Это медленное, это молитвенное строительство. Так была построена художником на трех планшетах башня Архимеда — из сиракузской земли, с того самого берега Ортигии, где был убит великий ученый двадцать два века тому назад римским солдатом.

Это ритуальная игра. Невозможно представить себе другой точки, где бы человек был так близок к осознанию смерти и так полон осязаемой, реальной, тысячелетней длительностью жизни.

“Жизнь длиннее, чем работа… Какая работа? Какая польза? Какая слава? Все это бред! Я надеваю на себя костюм смертника — темно-серая полосатая куртка, такие же брюки, ушанка, тоже полосатая. Зэковские ботинки… Костюм настоящий, оттуда…" — говорит Бархин.

Как много значат для нас условности. Этот костюм — знак последней обреченности. Но разве нет обреченности в веселых девичьих платьицах, в белом уборе невесты, прообразующем саван?

Надев этот трагический костюм, Бархин размешивает галилейскую глину с водой, и под его руками возникает глиняный Адам… Конец и начало сворачиваются в нечто целое и завершенное. Земля делается человеком, человек — землей.

Какой мощный мотив причастия звучит здесь… Не через кровь, но через землю и воду. А вода, между прочим, из Иордана, с того самого места, где некогда крестил Иоанн Предтеча. Вода в большой бутыли, закупорена пробкой. Сергей провез ее под бдительным оком пограничников со Святой Земли.

Сотворенный из земли человек живет землей и сходит в землю. Но это не исчерпывает огромного содержания взаимоотношений человека и земли. Человек-Пахарь, работник земли — единственное существо, способное "насадить сад", то есть продолжить Божественную созидательную работу не ради пропитания, но ради самого творчества. Но также он единственный, кто способен унизить, опоганить и уничтожить саму землю. И проблема эта не столько экологическая, сколько онтологическая.

"Человек и земля — единая плоть" — вот что утверждает художник Бархин своими работами. Если бы надо было найти художественный эквивалент теории Вернадского, рассматривающего всю планету как живой и цельный организм, то лучшей иллюстрации не найти.

В дивной стране мы живем: сколько семян разбросала, сколько ростков затоптала, сколько цветов — прекрасных и чудовищных — произвела из своей почвы. Одно из таких диких и гениальных созданий — русский космизм. Создатель его — Николай Федоров. Причастны — Вернадский и Циолковский. Цель этого учения, по Федорову, — "возвращение праху, разрушенным телам жизни, сознания, души". Федоров связывал свои надежды, под многообещающую музыку начала прошлого века, с общими успехами познания, с развитием частных наук, с высокой нравственностью грядущего человечества. Эта увлекательная утопическая идея предполагает воскрешение умерших по известному плану из простых элементов, и план этот может быть воспроизведен могучим напряжением родовой памяти.

Есть глубокое ощущение, что художник Сергей Бархин — по крайней мере метафизически — причастен этой высокой идее. Во всяком случае, он подошел к той точке, о которой сказано поэтом: "И тут кончается искусство и дышат почва и судьба".

Мы познакомились с Бархиным в 1979 году, когда я работала в еврейском театре, на первом спектакле, в котором я принимала участие, — "Тэвье из Анатэвки" по Шолом-Алейхему. Участие мое было невелико: я подгоняла эту американскую пьесу под российские возможности. До сих пор в комнате, где я работаю, висит на стене большой эскиз Бархина к этому спектаклю. Сергей был человек насквозь театральный, игровой, но к концу жизни, как мне казалось, уставший от этой заманчивой игры.

Именно Сергей ввел меня в театр, и если я что-то стала в театре понимать, то благодаря ему. Профессионал в полном смысле слова — он театр делал и в него играл. Он закончил в свое время архитектурный институт, и это накладывало сильный отпечаток на всю его работу в театре.

Театр, в котором мы встретились с Сергеем, был диковинным и нелепым местом, в котором все играли какие-то роли, не только актеры на сцене. Пожалуй, единственным профессионалом был бухгалтер. Режиссер был из балетных, певцы танцевали, балетные пели, массажистки шили, все шумно изображали евреев, даже те, кто не имел к этому племени никакого отношения. Театр назывался Еврейским и Музыкальным…

Что касается меня, я уж точно являла собой предел профессиональной некомпетентности: исполняющая в этом шумном мероприятии роль заведующего литературной части, я не знала ни языка идиш, ни языка иврит. Ни даже алфавита. Признаюсь, я его выучивала в своей жизни три раза. Первый раз меня обучал прадед в моем пятилетнем возрасте — не прижилось. Второй — преподаватель еврейского языка в еврейском театре, милейший Александр Евсеевич Гордеев, и тоже не прижилось. В третий раз, спустя еще десять лет, при первой поездке в Израиль я снова изучила еврейскую азбуку, чтобы отличать в незнакомой стране хотя бы "М" от "Ж"... И опять начисто забыла...

Почти все актеры театра, за исключением одного-двух, тоже не знали еврейского языка, учили наизусть "Тум-балалайку", а сверх того и не требовалось.

Когда я пришла в театр, готовился к сдаче первый спектакль молодого театра — опера "Черная уздечка белой кобылице". Текст был написан поэтом Ильей Резником, но, к счастью, переведен на идиш, так что ни один человек, кроме завлита, не знал, насколько бесподобно бездарны были эти вирши. Сценография принадлежала кисти великого художника Ильи Глазунова, намалевавшего на заднике еврейское местечко, а в финале на сцену выезжал паровоз, гораздо большего размера, чем на детской площадке, и мои маленькие сыновья счастливо визжали на генеральной репетиции. Главного героя пьесы звали Агинц-Паровоз, его играл красивый грузинский юноша. Добро благодаря его усилиям побеждало Зло, но в целом зрелище лежало по ту сторону и того, и другого…

Я старалась изо всех сил. Даже выпустила чуть ли не первую с послевоенных времен пластинку на еврейском языке с упомянутой оперой…

Следующий спектакль состоял из еврейских песен, кисло-сладких и вышибающих слезу, с переливом от розового к голубому, от печали к пафосу и обратно. Это был душераздирающий фольклор сожженного поколения, и я не судья этого искусства, а плакальщица.

К тому же мы подошли к границе разрешенного. Задуманная главным режиссером пьеса о Бар-Кохбе одобрения в верхах не получила. Видимо, решили, что хватит с них, с евреев, и шестидневной войны… Зато разрешили поставить мюзикл "Скрипач на крыше". Браться за это дело было нечеловеческим нахальством — но я тогда еще очень плохо понимала, что происходит. Это был трижды шедевр еврейско-американского искусства: лучшая вещь Шолом-Алейхема, первоклассная музыка и великолепная бродвейская постановка. Я принялась за перекройку сценария и приспособление его под местные условия: плохие голоса, кое-какие музыканты, зыбкая режиссура. А наш педагог уже переводил английские тексты на идиш.

И тут появился Сергей Бархин… Вообще, все, что написано до этого момента, написано ради этих слов: "И тут появился Сергей Бархин…"

В этот самый момент я поняла, что всё вокруг туфта и самозванство. И я лично — в первую очередь.

Оставим в стороне тот факт, что внешне Сергей Бархин был великолепен: элегантен, свободен и независим. Он был аристократически прост, но устанавливал такую дистанцию, что ни одна шавка — ни сверху, ни снизу — ни могла на него гавкнуть. На женщин он смотрел приветливым глазом, с живым пониманием и одобрением, но без тени театрального потребительства. Он говорил ясным и точным языком. Думал, прежде чем ответить, совершенно не торопился и рисовал карандашиком очень простые геометрические фигуры…

Словом, он мне так понравился, что не будь я в то время безнадежно влюблена в моего будущего мужа, непременно влюбилась бы в него. Но две безнадежных любви одновременно даже я, самозваный завлит еврейского театра, не потянула бы… Впрочем, в отношении Сергея я испытывала большее, чем влюбленность, — творческое вдохновение!

Вот он, профи! Маэстро! Супер! — я догадалась об этом с первого взгляда, и мое предчувствие меня не обмануло.

Теперь немного о Тевье-Молочнике. Постановок этой пьесы было бессчетное количество. О многих я читала, но видела три: фильм “Скрипач на крыше” с Тополем в главной роли, наш, в постановке Камерного еврейского музыкального театра;

“Тэвье из Анатэвки” с Яковом Явно в главной роли, в постановке Юрия Шерлинга; и позднее спектакль “Поминальная молитва” в Ленкоме в постановке Марка Захарова.

Про американский мюзикл что и говорить: местечковый материал вознесен на предельную высоту. Он равен Шолом-Алейхему, а в чем-то и превосходит литературный первоисточник: компактнее, элегантнее, лаконичней.

“Поминальная молитва” показалась мне ужасным позором: трагедия еврейского местечка завершается пошлейшим еврейским анекдотом “выехайте-выехаем” — Горин в своей пьесе подверстал к Тевье-Молочнику слабенький рассказик и завершил это шаткое драматургическое сооружение колокольным звоном православного христианства. Кто там был художником на спектакле, не помню, но на Марка Захарова я обиделась на всю жизнь.

И, наконец, наш Тевье, которого сделал не Юрий Шерлинг, режиссер, не Яков Явно, наш премьер, а именно Сергей Бархин, художник-постановщик. Конечно, это случай редкий и исключительный, когда художественное решение спектакля таково, что остальным делать почти нечего. До этой работы я и не знала, что так бывает: формулу спектакля дает художник. Это не декорация и костюмы. Это — метафизика.

Шолом-Алейхем рассказывает в “Тевье-Молочнике” о выселении евреев из местечка, которое находится вне черты оседлости. О конце Анатэвки. Шолом-Алейхем так и не узнал, что “окончательное решение” судьбы еврейских местечек наступит позже, во время Второй мировой войны. А Сергей Бархин это уже знал. Поэтому рассказ Бархина, сконструированный им из десятка шестов и ста метров театрального холста, — рассказ об изгнании еврейского народа из мира, а не из Полтавской губернии. И это не Исход из Египта, когда евреи вышли для завоевания в конечном итоге Земли обетованной. Это изгнание окончательное. Это крушение не только еврейского мира, но и опустошение мира, ими оставленного. Бархин создал художественный образ, который оказался более значительным, чем исходный литературный материал.

Как это ему удалось?

Сцена с трех сторон ограничена шестами, на которых висят три слоя полотнищ: верхний пурпурный, средний червленый, нижний лазоревый. Откуда такие экзотические цвета? Из Библии. Это цвета покровов Скинии Завета, как она описана в книге… Эти полотнища, одежда сцены, превращаются в одежду актеров. В конце первого акта евреи сдергивают верхние пурпурные полотнища, надевают их поверх драных лапсердаков и ветхих рубах и, преображаясь из молочников, мясников и портных в жрецов и пророков, исполняют субботнюю молитву.

Второй акт заканчивается сценой погрома. Последний музыкальный номер — поминальная молитва о погибших. Актеры стягивают с шестов следующий слой занавесей и покидают сцену в длинных облачениях.

И, наконец, финал: жителей Анатэвки выселяют. Актеры мечутся по сцене, собирая бедные пожитки. Звучит финальный хор: А где половичок? А сковородка? Не забыли ли подушку? А где веревочка?

Текст вполне комический. Но с колосников в это время спускается лестница. Евреи стягивают с шестов последний слой занавесей, надевают их на себя как длинные плащи, тянущиеся за каждым по земле, и, нагруженные детьми, узлами и сковородками, уходят по лестнице в небо.

Звучит чуть вихлявая еврейская скрипочка — все еще про половичок и про сковородку, а по спине пробегают мурашки. Народ покидает землю. И земля остается пустой. Только частокол оголенных шестов. Пустая сцена покинутого мира.

Эти мурашки, озноб искусства, принадлежат не Шолом-Алейхему и не Юрию Шерлингу. Они — от Сергея Бархина.

Вот тогда-то я и узнала, чтó может сделать в театре художник.

Вскоре я ушла из театра, и несколько лет мы с Бархиным не встречались. Видела несколько спектаклей, в которых он был художником-постановщиком. Всегда радовалась и удивлялась тому, как это ему удается всегда идти в свою собственную сторону. Он сказал по этому поводу замечательную фразу: "Понимаешь, когда люди идут за грибами, обычно все идут в одну сторону, а я знаю, что можно идти и в другую. Там тоже есть грибы, может, не белые, так шампиньоны..."

Однако шампиньоны Сергея Бархина — особые. И эту особенность я остро чувствую, потому что я, в определенном смысле, человек со стороны в литературном мире. Вроде я и писатель, но не обучена гуманитарным наукам. Зато я, кроме математики и физики, изучала естественные — гистологию, биохимию, — и устройство моих мозгов несколько иное, чем у гуманитария.

Сергей Бархин — архитектор по образованию, и, хотя его учили рисованию и живописи, да и дарования его совершенно замечательные, в голове его проработана геометрия, строительное дело со всякими сопроматами, инженерными науками, то есть имеется нечто свыше художественного подхода. И я всегда чувствую присутствие конструктора и строителя в сценографии Бархина. Одна из работ последних лет — опера "Набукко" в Большом театре. Грандиозное строение, материалом которого оказываются те самые еврейские буквы, которые так упорно мне не давались. Библейская история, униженная до оперного либретто, волей художника снова поднимается на ее высший уровень. Мощная музыка Верди, особенно в его замечательных хорах, усиливается тайной древнего алфавита. Это способность к двойному зрению, которую сообщает Бархину его архитектурная выучка.

Последняя выставка Сергея Бархина состоялась в Бахрушинском музее в 2019 году. В конце июля 2020 года Бахрушинский музей получил в дар от художника последние книги издательства "Близнецы", созданного им совместно с его сестрой. Это книги "Король Лир", "Гамлет" и "Книга песни песней Соломона" с рисунками Бархина.

В ноябре 2020-го Сергей Бархин умер. Мало кто из современников-художников оставил после себя такое огромное наследство.

Лёля Мурина

...Ну вот, в кругу моего общения я оказалась теперь самой старшей. С Лёлей Муриной мы познакомились в Судаке, в доме Бруни на Восточном шоссе. Тогда еще была жива "НК" — Нина Константиновна Бруни, она еще не потеряла ногу под автобусом, а бодро скакала по окрестным холмам в поисках каперсов. И вела им счет. Лёле в те годы было чуть больше сорока, а я была молодая мамаша двухлетнего ребенка. Компания в тот сезон, впрочем, как и всегда в этом доме и около него, была прекрасная: взрослые, дети и младенцы жили дружной коммуной. Кто-то шел на рынок за продуктами, кто-то готовил обед, а кто-то пас бултыхающихся в море детей. Раннее лето, море, дружеские застолья после укладки детей, крымский портвейн, легкий флирт и тяжелые романы — таков был пейзаж тогдашнего лета. Лёля занимала промежуточное положение: для Нины Константиновны она тоже была младшей, для нас — старшей. Но в старшинстве ее была замечательная нота равенства. Думаю, дело было в том, что ее не биологический, а истинный возраст до самой смерти был молодым.

В тот год мы гуляли по окрестностям и собирали каперсы, лежали на берегу моря в бухте, где тогда никого, кроме нас и наших детей, не было. О ее таланте искусствоведа, то есть об умении смотреть на картины и видеть то, что таким людям, как я, не показывают, я узнала гораздо позже, когда и сама стала потихоньку осваивать эту азбуку. Тогда же мне в руки попали и кое-какие ее книги. Я помню, как я была изумлена, обнаружив, что Лёля, почти подруга, смеющаяся, с глазами редкой синевы, оказалась мощным профессионалом, и спектр ее интересов невероятный — от Ван Гога до Краснопевцева, от Матвеева до Лентулова.

Последний раз я была у нее за месяц до смерти. Оказалась на Никитской, решила забежать. Лёля была единственной из всех моих знакомых, любившая неожиданных гостей. Я это не придумала, это она мне сама говорила. Квартира старая, московская, каких немного осталось в городе.

Сидели на кухне, дверь в комнату Володи, погибшего Лёлиного сына, была открыта. Смерть младшего сына была самым большим несчастьем ее жизни. Нет у людей большего горя, чем незаконное, нарушающее мировой ход событие, такое как смерть ребенка. Пока мы сидели, пришел Володин сын Миша, и я чуть не задохнулась: он был в точности отец! Я не видела никогда такого фамильного сходства.

И еще важное — Лёля умела радоваться. Это дарование не всякому дано. Радостью была для нее и ее профессия: она действительно очень любила тех художников, которыми занималась. А ряд этих художников сам по себе примечательный: Лентулов и Вейсберг, Чекрыгин и Сезанн. Я думаю, что она сейчас в таком месте, где много того самого, с чего рисуют картины…

Ира Уварова

Ведь ясно было, что она уходит, — и все равно полная неожиданность, невозможность, оторван кусок жизни. Был Никита (Шкловский). Через бессвязность его речи проклевывается мысль, мне вполне близкая: что человеческое “я” — одна из самых больших иллюзий. И когда-то и где-то это будет исправлено, и будем мы единым организмом *Homo sapiens*. И в ноосфере будет плавать этот великий текст человека…

Поздней осенью Ира попросила меня посмотреть на могиле Юлика (Даниэля), есть ли там для нее место. Я поехала и отчиталась: место есть. И теперь оно понадобится. Там стоит памятник Юлику, сделанный Иогансоном, он мне не нравится.

Я бы снесла его и поставила новый, не манерный, а сдержанный. Но он нравился Ире. Значит, пусть стоит. А ей только надпись. Всю неделю я собиралась к ней ехать, но не доехала. Еще сегодня утром договорились, что приеду. А потом образовались какие-то дела, я позвонила, сказала, что приду во второй половине дня… Всё. Некуда ехать.

В моем телефоне остались фотографии от последнего ее посещения, 24 ноября, кажется. Все отснято: она, ее постель, изголовье, изножье, весь ее алтарь из игрушек и ангелочков. Нет, кажется, это фотографии предпоследнего моего визита…

Перед теми, кто умер, — новая картина, захватывающая, может, и мучительная, но скорее очень важная и интересная, и вместо мира вопросов — мир ответов (так мне представляется или так мне хотелось бы), а для тех, кто еще жив, полностью меняется конфигурация жизни, большая дыра, которая никогда ничем не будет заполнена. Или заполнится когда-нибудь? На стене висят два ангелочка, которые Ира мне подарила в мой последний к ней приезд. С кошками… У Иры всегда были особые взаимоотношения с кошками.

Последнее время она лежала, обложенная книгами со всех сторон, а сегодня я даже не могу вспомнить, что это были за книги. Точно — одна Юликова. Разговаривала с Машей Уваровой. Кажется, произойдет процесс передачи, как было после смерти Ирины Ильиничны Эренбург — когда я сблизилась с Ирой Щипачевой. Минуя родителей — к внукам.

Очень все это тяжело. Я думаю об Ириных записных книжках последнего времени — не пропали бы!

Главное ощущение — той прозрачной, полупрозрачной стены, "тусклого стекла", через которое видим только очертания посмертного будущего, которое будущим нельзя назвать, потому что это и есть подлинная реальность. Но слова здесь кончаются. Только область смутных, не поддающихся пересказу ощущений, предчувствий, сновидческих теней. Помню важнейший в жизни сон с Ириным участием. Я стою в проходной комнате в их квартире на Соколе, в обнимку с Ирой. Она тянется к моей шее, и я понимаю, что она хочет попить моей крови. Но ей для этого нужно мое согласие, она его просит — бессловесно. Я согласия не даю. Я потом долго этот сон переживала. Я знала всегда, что Ира ведьминской породы, ее молдаванская бабка была ведьмой. Ира рассказывала когда-то. Но она, зная о своей особой природе, ее укрощала и не давала проявиться. И это была, кажется, победа ее жизни. Она не приносила вреда людям, хотя такая способность у нее была. Она знала, что я это знаю. И было еще несколько смутных эпизодов, когда я видела эти ее способности. Один затуманен, но постараюсь вспомнить. А может, она не хочет, чтобы я это помнила, и забрала этот кусок моих воспоминаний с собой.

Мы познакомились с Ирой году в 1980-м, когда я работала в Еврейском театре. Кто ее пригласил, не помню, но вышли мы вместе и с той минуты не расставались. Еще был жив Юлик Даниэль, и был еще настолько жив, что поглядывал на женщин, вполне не платонически, а я этому изумлялась. Он ведь был великий и прекрасный, безукоризненный. И то, что он был любитель женщин, не вписывалось в мою картину “героя”. Вот дура-то была, ведь это качество женолюбия для героя просто необходимо! Он уже вышел из лагеря, женился на Ире, и это был еще довольно свежий брак. При Ирином доме толклось довольно много девочек, и была одна ее ученица, Марина, совсем не из породы обыкновенных обольстительниц, а существо весьма сложное, одаренное, талантливая настолько, что это и не сразу было понятно. Особым образом. Тоже театральный художник, но с большими выбросами в разные стороны. Маленькая, с прекрасными вечно грязными волосами, одетая в рванинку, Марина оставалась с Юликом на даче, пока Ира моталась по командировкам по всей стране, зарабатывая деньги на его благородно-обеспеченную жизнь. Марина была беспамятно в Юлика влюблена, и промеж ними были отношения. Я об этом знала и ужасно мучилась: а знает ли Ира? Разумеется, я не собиралась ее об этом оповещать, но понять этого я не могла. Много лет спустя Ира мне рассказала свой сон (может, она его придумала, чтобы в такой форме разрешить мой незаданный вопрос, который, видимо, был на моей морде написан). А сон она видела такой: приходит она домой, а у Юлика на кухне сидит молодая очень красивая молдаванка, они пьют чай, и Юлик Ире радостно сообщает, что вот девушка, которую он очень любит и очень с нею счастлив. И тогда я — рассказывает мне Ира — испытала огромную радость за него, что с небес такая большая любовь свалилась... Так мудрая Ира ответила мне на не заданный мною вопрос.

Как же я близко ко всем им стояла: Марину потом устроила в мастерскую к И-ну, и в этой мастерской она и прожила свой многолетний роман с И-ным и умерла в этом подвале от длинного рака. Я ей еду из японского ресторана таскала. Она была большая любительница всего японского: картинок, стихов и еды.

Все мои старшие подруги в январе этого года закончились. Самая старшая теперь я.

Прочитала свои записки с 78 года. Там довольно много Ириного присутствия, и почти всегда глаз мой настроен критически, я отмечаю все ее жесты, не всегда удачные. Но теперь, когда она ушла окончательно, моя память о ней держит только хорошее. Она была великим человеком. Некоторые это знали, другие догадывались, а мне мешала противоречивость ее натуры: щедрость с оттенком высокомерия, глубокий ум — и при этом досадные поведенческие просчеты. Но теперь, когда ее нет, и я прохожу много раз в день мимо ксерокса с ее прекрасной молодой фотографии, я чувствую ее присутствие, даже с тонким приглашением туда, где она сейчас находится.

СКАЗОЧНОЕ

Всем, кто разбирается в тайной науке ангелологии, давно известно, что ангелов в мире очень много, по ангелу-хранителю на каждого человека плюс ангельское начальство. Поскольку население Земли постоянно увеличивается, на сегодняшний день уже насчитывается семь миллиардов шестьсот восемьдесят четыре миллиона восемь тысяч девяносто пять человек, столько же и рядовых ангелов. Начальство в данном случае можно не учитывать — их всего семь, называют их архангелами, а главой всех архангелов назначен архангел Михаил. Он очень занят: главное его дело — обеспечить необходимое число новых ангелов в связи с резко возрастающим населением Земли. И дело это не простое… В другой раз расскажем.

Кот Гигант и ангелы

Два ангела, Итур и Абдил, прикинувшись голубями, сидели на ветке дерева в дворовом скверике и оглядывали мир. Они не так уж часто здесь появлялись, и им было очень интересно. Под деревом сидел большой кот Гига, полное имя которого было Гигант, он и правда был здоровенный, и он тоже наблюдал картину мира. Из подъезда вышла старушка с пакетом и начала разбрасывать на газоне не то остатки каши, не то какие-то зернышки.

— Не наша старушка? — спросил Итур у Абдила.

— Нет, эта не наша! Нас за другой прислали…

— И как ты их различаешь, они же все одинаковые? — отозвался Итур.

Итур раньше другую работу делал и еще не вполне освоился с новым заданием — сопровождать тех людей, которые закончили свой земной путь, на новое местожительство.

Старушка выгребла из пакета все крошки и зернышки, и ожидающие раздачи питания птицы, в основном голуби, но и несколько наглых воробьев, подлетали к угощению.

— Может, и мы попробуем? — спросил Итур.

— Мне никогда в голову такое не приходило... Впрочем, давай. Это же не запрещено.

И оба ангела, замаскированные под голубей, спустились поближе к крошкам. Прочие голуби на них внимания не обратили, потому что ангелы умели здорово прикидываться кем угодно. Но кот Гига обратил внимание — они опустились на землю очень близко от него...

Итур склюнул крошку, посмотрел на Абдила. Тот покачал головой, не советовал: не ангельская это пища... Однако Итур клевал и клевал.

Кот тем временем подобрался, сгруппировался перед прыжком, прыгнул и схватил невнимательного голубя за горло. Мгновенно придушил и уволок в кусты.

Абдил взлетел на ветку и закрыл глаза. Это конец. Смерть...

Вообще-то ангелы бессмертны. Но когда ангел превращается в смертное существо, на это время он становится точно таким, как все смертные... Абдил, приняв свое обыкновенное ангельское обличие, поднялся в воздух и, обливаясь слезами, устремился домой, в свое небесное отечество.

Кот Гига тем временем раздирал под кустиком птичье тело и урчал от удовольствия. Он не был бездомным уличным котом, у него была хозяйка, и она выпустила его на прогулку. Хозяйка была прекрасная старуха Мария Осиповна, она его кормила полезным кошачьим кормом, но по вкусу его нельзя было сравнить с этой охотничьей добычей, кровавой и сладкой…

Когда Абдил рассказал всему ангельскому собранию о гибели Итура, все заплакали. Даже бессмертные ангелы прекрасно понимают, что такое смерть, когда она касается людей. Но ангелы погибают крайне редко. С ними случаются другие неприятности, может, похуже смерти: иногда ангелы выходят из подчинения своему начальнику, архангелу Михаилу, и дезертируют, уходят служить могучей злой силе, имя которой мы не упоминаем. Сами знаете кто… А таких бывших ангелов называют падшими.

Когда после сообщения о гибели Итура ангелы перестали плакать, архангел Михаил вынул из большого ящика теплый комок любви и дунул на него своим творческим дыханием, и перед собранием возник новый ангел, небольшой, с веселым лицом и переливчатыми крыльями. Все обрадовались. Назвали его Итур Второй. И назначили его хранителем той самой старушки Марии Осиповны, которую прежде охранял погибший Итур Первый.

И задание он должен был выполнить то самое, которое не успел завершить его предшественник, — препроводить Марию Осиповну на новое местожительство.

На этот раз Абдил и Итур Второй, не тратя времени на наблюдение за двором, не прикидываясь ни голубями, ни воробьями, в самое темное ночное время опустились возле постели Марии Осиповны. План у них был продуман до деталей: сначала они должны были послать старушке неясную фигуру не то ее матери, не то бабушки, хочет догнать уходящую, ускоряет шаг и почти бежит, а милая фигура все удаляется…

Но Мария Осиповна последнее время страдала бессонницей, полночи ворочалась с боку на бок, укладывала рядом с собой любимого своего кота Гигу, чтобы он ей мурлыкал и навевал сон. А сон все не шел. Гига лежал у нее под боком и громко урчал, и в этом урчании явственно слышалось: мур-рия, мур-рия… Было похоже на имя Марии Осиповны, и она улыбалась, гладила кота и засыпала. Им было хорошо вместе, старушке и коту…

Но вдруг кот встревожился, приподнял голову и повел усами: запахло ангелами. У котов вообще очень острый нюх. И у ангелов тоже.

— Чувствуешь кошачий запах? — спросил Абдил у Итура Второго, ангела еще не такого опытного…

— Да, córванивает, — отозвался Итур.

Гига тем временем спрыгнул с постели, шерсть на спине поднялась дыбом, он принял угрожающую позу.

Если у вас есть интернет, советую посмотреть на картину Лоренцо Лотто “Благовещение”. Там изображен момент, когда архангел Гавриил пришел сообщить Деве Марии о том, что у нее вскоре родится Младенец Христос. Дева Мария еще не успела понять, кто это перед ней, а вот ее кот уже узнал архангела и насторожился. Это еще в XVI веке нарисовано!

Но кот наш Гига, хотя совершенно не знал изобразительного искусства, повел себя точно как тот кот, что принадлежал Деве Марии.

— Чего пришли? — проворчал Гига угрожающе.

— Время пришло, — сообщил Абдил.

— Меня это не касается, что у вас время пришло. Мы хорошо живем. Моя хозяйка — прекрасная женщина, кормит меня, выпускает погулять, и вообще-то она вполне здоровая старушка. Рано вы пришли! Не пущу!

Ангелы переглянулись: такого еще никогда не было, чтобы какой-то кот препятствовал их работе.

Итур вздохнул:

— Мы знаем, что она прекрасная женщина. Никогда ничего плохого не сделала, учила детей читать-писать, с соседями не ссорилась. Поэтому и забираем мы ее быстренько, не причиняя беспокойств, больничных страданий и реанимации... и смерть ее будет самой лучшей — мирной, безболезненной и непостыдной. А последующее существование — в самом теплом, уютном и счастливом месте, которого она заслужила.

Тут кот задумался. И ангелы помедлили, дали ему подумать. Мария Осиповна к тому времени уже заснула, и как раз начался у нее тот сон, который ей был послан напоследок...

Гига тем временем представил себе, что вот, не будет Марии Осиповны, заберет его к себе противная соседка или внучка Марии Осиповны, которая нравилась ему еще меньше соседки. Или просто окажется он на улице. Летом еще ничего, а зимой холодно, отвратительно...

— Мр-р-р... А нельзя так устроить, чтобы я вместе с ней оказался? — спросил Гига.

— Не полагается. Коты в другое место переселяются после, как вы говорите, смерти, — твердо сказал Абдил.

— Нет, — твердо муркнул кот. — На другое место я не согласен. Всю жизнь я с хозяйкой прожил. Она меня котенком взяла, выкормила, ласкала всю жизнь, и ни разу я от нее ни одного шлепка или пинка не видел. Я вас к ней не подпущу!

И он завонял таким мощным кошачьим запахом, что ангелы прикрыли крыльями свои носы. Итур Второй чуть сознание не потерял.

Но Абдил все твердил свое:

— Нет, для людей и котов отдельные места отведены. А уж что касается тебя, ты у нас на особом счету, ты нашего ангела загрыз!

— Я? — удивился Гига. — Да никогда в жизни! Птичек, голубей всяких случалось задрать или мышку съесть, но ангела… нет, это ложь!

Тут вступил Итур Второй:

— Ты перестань вонять, тогда поговорим…

— Хорошо, — согласился Гига. — Это я могу. Но к хозяйке не подпущу!

Тут Итур Второй шепнул Абдилу:

— Убийство было непреднамеренное. Он следовал своей природе, задушил голубя, не подозревая, что перед ним ангел. Это заслуживает снисхождения.

Абдил кивнул: резонно… Но Итуру Второму сказал вполне уверенно:

— Ты пока не знаешь, но души человеческие и души животных в разных местах обитают. И потом, старушке время пришло, а кот, смотри — здоровенный, довольно молодой, ему еще не время…

Слух у Гиги был отличный, и он расслышал этот ангельский шепот. Ему даже приятно было, что ангел признал его здоровенным и молодым. К тому же он и не знал, что случайно придушил ангела. И кот сказал, смягчившись:

— Видите ли, Мария Осиповна — женщина хрупкая, нежная, она ко мне привыкла. Когда я на улицу выхожу погулять, она по мне скучает. И если вы ее заберете, она будет скучать, ей без меня будет плохо.

Ангелы переглянулись: не ожидали они от кота такой тонкой душевной организации.

— Надо подумать. План наш относительно Марии Осиповны был такой, чтобы ей было хорошо.

— Без меня — никак. Не будет ей без меня хорошо! — уверенно сказал Гига.

Шерсть его уже не стояла дыбом, он смягчился. Кошки, как ни одно другое животное, умеют подлизываться и обольщать. Умеют нравиться.

Ангелы пошептались совсем беззвучно, так что и кот со своим тонким слухом не смог разобрать, что там они обсуждают. Гига сел и стал умываться — он всегда умывался, когда возникали сложности жизни.

— Чистоплотный, — шепнул Итур Второй Абдилу.

— И хозяйку любит… — ответил Абдил.

— Может, попробуем? Ну, обоих забрать… вместе.

— Ох, боюсь, начальство будет недовольно…

— А в виде исключения?

— Ладно, попробуем, — кивнул Абдил. Он все же был за старшего.

— И что же, ты готов вместе с хозяйкой… поменять местожительство, сам понимаешь…

— Да разговору нет. Само собой! — ответил Гига.

Он мгновенно вспрыгнул на кровать, подлез головой под руку спящей Марии Осиповны и закрыл глаза.

А старушке снился сон, тот самый, спущенный к ней ангелами: как будто идет она по лесной тропинке, в конце которой видит неясную фигуру не то ее матери, не то бабушки, хочет догнать уходящую, ускоряет шаг и почти бежит, а милая фигура все удаляется… И вдруг откуда-то сбоку, прямо у ее ног появляется кот Гигант, ее любимый Гига, ласково толкает ее, и они вместе идут по этой прекрасной дорожке, и ей нисколько не страшно, потому что рядом с ней ее любимый друг-кот…

Абдилу, конечно, пришлось похлопотать, потому что все-таки это было нарушение давно заведенного порядка, что закончившие земное путешествие люди отправляются в одно место, а животные — в другое. Но в виде исключения разрешили. И теперь Мария Осиповна и ее кот Гига вместе. Все хорошо.

Рождественский подарок

Итур и Абдил перед Рождеством были, как всегда, очень заняты — фасовали по коробочкам и пакетикам подарки: всякую мелкую радость, детям игрушки, старикам подушки, женщинам, не потерявшим надежд на устройство личной жизни, духи "Красная Москва" и "Серебристый ландыш". Это было давно, и никаких заграничных духов в их распоряжении не было. Все подарки кончились, а одна коробочка пустая осталась. Абдил подумал — и подул в коробочку хорошим настроением. И вот радость-то! Получила я не коробку шоколада и не мыло душистое, а хорошее настроение. Правда, ненадолго, на час, но какой прекрасный подарок! Прекрасные подарки никогда долго не держатся! Прекрасное вообще недолговечно. Чтоб мы не привыкали к нему и посильнее радовались!

Сверху звучала музыка

Под конец жизни Мария Алексеевна стала видеть невидимое, несуществующее или давно не существующее. Но началось с того, что ей стал мешать шкаф, который стоял, загораживая дверь, прорезанную много лет тому назад после дележки большой комнаты надвое. Где сейчас находился этот шкаф фальшивого красного дерева с ромбами на дверцах, никто не знал, потому что давным-давно его отвезли в антикварный магазин возле метро "Фрунзенская" и получили за него неожиданно большие деньги.

Мария Алексеевна давно уже не поднималась, лежала на одной из родительских кроватей с ромбами на изголовье, на которой она и родилась, и смотрела на шкаф, которого давно здесь не было. Вторую, парную кровать от этого мебельного гарнитура выставили на балкон, когда комнаты поделили, и там она мокла, сохла и гнила уже не первый год.

Однажды ночью, когда горел ночник синего стекла, осеняя комнату таинственным светом, Мария Алексеевна увидела, как грузная женская фигура подошла к шкафу и, звякнув ключами, открыла его центральную зеркальную створку. Это была, вне всякого сомнения, покойная бабушка Евгения Мироновна в клетчатом фланелевом халате, который она донашивала после смерти мужа. Бабушка сняла халат, аккуратно повесила его в шкаф, а оттуда вынула синий костюм. Затворила дверку, опять звякнув ключами, встряхнула костюм, оглядела и влезла в юбку. Затем надела жакет, поправила кружевную манишку, изображавшую блузку, потом открыла левую створку шкафа, сняла с полки жестяную коробочку, открыла и вынула из нее конфету в зеленом фантике. Грильяж! — догадалась Мария Алексеевна. Потом бабушка повернулась к ней лицом, улыбнулась и исчезла.

Проснувшись утром, Мария Алексеевна нисколько не удивилась, увидев на прикроватной тумбочке обертку от конфеты грильяж. Кто съел конфету, осталось на некоторое время загадкой — сама Мария Алексеевна давно уже не могла грызть таких жестких лакомств. Но пришла из школы внучка Инна, подошла к бабушкиной кровати и спросила, нет ли у нее еще одной такой конфеты. Второй не было. Мария Алексеевна давно уже была подслеповата, но в последние месяцы ей чудилось, что пришла осень, и потому свету стало меньше. Она даже попросила Инну раздвинуть шторы, но Инна сказала, что шторы уже неделю в чистке и раздвигать нечего.

Полумрак сгущался с каждым месяцем. Мария Алексеевна все позже засыпала, все позже просыпалась, пока не перешла на совершенно перевернутый и поначалу очень неудобный для семьи режим. В этом дымчатом полумраке сквозили давно исчезнувшие, но знакомые по очертаниям вещи, то обретая плотность, то растворяясь. Проходила мимо бабушка, домработница Шура с подносом, однажды пришли гости, среди которых выделялась длиннющая тетя Липа, которая всегда была выше всех гостей, включая и мужчин. Женщин за столом всегда было большинство, и тем значительнее выглядел каждый из мужчин. А, так они не умерли — обрадовалась Мария Алексеевна.

Мария Алексеевна всегда принимала участие в семейных застольях, но не в обычной командной должности хозяйки, а несколько отстраненно.

Эти ночные посиделки занимали все бóльшую часть жизни Марии Алексеевны, и она не особенно различала, происходит это во сне или в бодрствовании. Когда она уже вполне привыкла к этому ответвлению жизни, картинки стали видоизменяться — появлялись какие-то совсем не знакомые, но очень симпатичные люди, к тому же говорившие на незнакомом языке. Как-то постепенно прояснилось, что это большая грузинская семья, и Мария

Алексеевна догадалась, что это те самые мифологические грузины, которые жили в квартире до них, а потом, после их отъезда, освободившаяся квартира досталась деду Марии Алексеевны. Но все это было еще до войны. Теперь она наблюдала за грузинской жизнью, рассматривая непривычную кавказскую еду и даже чувствуя какую-то тень острого запаха. Узнала буфет с медными квадратными ручками, который достался их семье в наследство от грузин. Потом грузины стали как-то растворяться, становились всё бледнее, и появился лысый человек, плюгавый, но с объемистым животом, и комната, которая была спальней, преобразовалась в кабинет с множеством забитых бумагами и папками шкафов. Лысый человек принимал посетителей, и все они были солидные мужчины с солидными, но неслышимыми разговорами. Было скучновато, и развлекали Марию Алексеевну только бурные взаимоотношения горничной и кухарки, претендовавшие на роль первого лица при домоправителе, который был исключительно благородного, в отличие от хозяина, вида. С теплым удивлением Мария Алексеевна узнала в спальне ночник синего стекла, тот самый, который и сейчас горел над ее головой.

Далее, обратным ходом она наблюдала картинки стройки, от завершения строительства до сноса стоявшего на месте дома сарая. Босая женщина, явно пьяная, хрипло кричала бессвязные слова, пытаясь прогнать разрушителей. И на месте разрушенного дома появился волшебный газон с диковинными растениями… Оранжерея. Край невидимой усадьбы, откуда слышны были отзвуки детского смеха и звонкие шлепки, как будто кто-то играл в мяч…

Видения эти перемежались приступами боли в животе, но странным образом Мария Алексеевна заблудилась в своих ощущениях, и сном казались ей скорее боли в животе, чем волшебный газон с растениями, которых не найдешь ни в одном ботаническом определителе.

Время от времени приходила Таня, пыталась ее напоить и накормить, и это было неприятно, ложка утыкалась в ее стиснутый рот, она отворачивалась. Это была враждебная сила, нарушавшая ее зыбкую жизнь.

Мария Алексеевна все меньше воспринимала это постороннее насилие в виде ложки или края чашки, но зато стала слышать в отдалении звуки то ли флейты, то ли какого-то другого духового инструмента, и они поначалу звучали мутно, но становились все внятнее. И инструменты добавлялись, вступая постепенно и переходя к оркестровому звучанию. Музыка была знакомая, но и неузнаваемая одновременно. Иногда казалось, что это она сама играет, но немного загадочно было то, что играла-то она всегда на пианино, а эти звуки были иной природы… Звучала музыка одновременно интимно и концертно, и она догадалась, что давно уже находится в зале, но оркестр находится не здесь, а где-то наверху, невидимо.

И не было видно ни ромбов на изножии кровати, ни окна, ни шкафа — только огромный зал неясных очертаний, с теряющимися границами, и все крепло чувство, что она попала именно в то место, куда всю жизнь хотела попасть.

Невестка Таня подошла к Марии Александровне с блюдечком манной каши, окликнула ее. Но никто не ответил. Таня поставила блюдечко на тумбочку и заплакала. Над головой Марии Александровны сиял ромб, на который в это мгновенье упал луч заходящего солнца. Откуда-то сверху звучала музыка.

Ангел Нефедова

Степан Нефедов вышел на крыльцо и закурил. От сигареты натощак в животе вязко заныло, а во рту стало отдавать псиной.

"Вот же ж сука, черт!" — выругался Нефедов и сплюнул. Ангел, стоявший по левое плечо от Нефедова, деликатно отодвинул ногу. Глубоко затянувшись, Нефедов решительно шагнул в апрельскую слякоть. Ангел невидимо двинулся за ним.

Нефедов прошагал до калитки, решительно отворил ее и громко, с чувством захлопнул за собой. Ангел, много лет присматривавший за Нефедовым и вроде выучивший все его резкие повадки, в этот раз сплоховал. Калитка с силой ударила его по ноге. Раздался никому не слышный хруст. Ангел присел, схватившись за сломанную лодыжку. Белые крылья, пачкаясь и намокая, некрасиво сложились прямо в глубокую коричневую лужу.

Нефедов этого не видел. Втянув голову в плечи, он быстро шагал по центральной улице поселка по направлению к коровнику.

В ушах звенели вчерашние слова районного начальника, которые он прокричал в телефон: “Надеюсь, наш Нефедов вас не разочарует!”

— Не разочарует, — буркнул под нос Нефедов и еще раз сплюнул.

Детство и юность Нефедова прошли в коровнике деревни Ртищево. Его покойная бабка была лучшей коровницей в районе. Мать, закончившая ветеринарный техникум, имела ко всему научный подход: где-то вычитала, что коровы тем лучше доятся, чем больше видят перед собой яркого света, и по ее заявлениям еще в 1970-е годы ртищевским коровам, даже раньше местных жителей, провели в коровник электричество, а маленький Нефедов принес в коровник старый довоенный патефон, оставшийся от деда, и коровам пели Шаляпин и Лемешев, Козловский, Русланова и даже каким-то чудом попавшая в Ртищево Алла Пугачева. И коровы доились!

Про Нефедова говорили, что его “ангел поцеловал” — все ему легко давалось: он быстро решал в уме и заучивал наизусть целые страницы с одного прочтения, звонко и чисто пел, хорошо бегал, прилично играл в шахматы.

Иногда мама вздыхала: “Ты мог бы стать кем угодно, кем бы ни пожелал”. Но Степан Нефедов связал свою жизнь с коровами. После школы поступил в Тимирязевскую академию. По животноводству.

Четыре года учебы пролетели без сучка без задоринки. Нефедов привез домой красный диплом, подарки для матери и бабки (отец с дедом к тому времени умерли), а также глубокое понимание того, что и как надо делать с коровой в современном мире, чтобы на душе у нее было легко и приятно, чтобы доилась она радостно и много, давая молоко и в конечном итоге процветание всей его малой родине.

Много лет Нефедов бился за лучшие для коров условия жизни: выяснилось, что электрической лампочки, копий Микеланджело с Рафаэлем и даже голоса Пугачевой недостаточно. Оказалось, что заграничная наука поддержания дойного энтузиазма коров за годы советских колхозов и совхозов шагнула далеко вперед: коровам нужны не только теплые просторные коровники и приемлемые условия “труда”, но и специальные корма, витамины, антидепрессанты в конце концов. Еще в академии Нефедова поразило, как сильно и глубоко, оказывается, тоскует корова, разлученная с теленком. Вернувшись, в Ртищево, Степан придумал делать для коров семейные ясли, чтобы мать спокойно доилась, видя перед собой здоровых и счастливых отпрысков этого и прошлого года…

Судьба хранила Нефедова — пожар в коровнике, случившийся в грозу 2010 года, удалось потушить почти мистическим образом — будто бы кто-то толкнул его, спящего, в бок и прошептал: "Беги, Стёпка, пожар!" Нефедов вскочил, рванул, на ходу надевая дедов ватник, шаря в кармане мобильник, увидел занимающееся пламя, позвонил Витьке-скотнику, и тот уже на бегу вызвал пожарных. Ни одна корова не пострадала.

Падеж скота, случившийся в округе, Ртищево обошел стороной. Везло! Бычок Гигант был лучшим на районе, покрывал чуть не половину всех телок округи. Опять везло!

За эту везучесть начальство Нефедова любило. Районный глава, пусть нехотя, пусть "через бля", но решал положительно все Стёпины просьбы.

В общем, так вышло, что ртищевский коровник стал образцово-показательным, прогремел на весь район, страну и даже за границей. Степан Нефедов ездил даже в Берлин на большую выставку "Зеленая неделя" со своей лучшей коровой Меланьей. Сам министр сельского хозяйства, проходя по выставке с делегацией, погладил Меланью по морде. Говорили, что корова в ответ его даже лизнула, но это не точно.

Словом, когда министр сельского хозяйства приехал в Саратовскую область, он вспомнил про корову Меланью и пожелал ее навестить.

Нефедова вызвали к губернатору. Велели собрать коров и живописно построить их по маршруту следования важного лица. Нефедов отнекивался, сетовал на нервы, на тонкую душевную организацию коров, которым двадцатикилометровый марш-бросок ни к чему, они потом доиться не будут. Но руководство было непреклонно. Обещали выдать новые грузовики фирмы *Volvo*, чтобы довезти коров до пункта назначения в целости и сохранности.

Грузовики действительно дали. Коров живописно расставили, но они по собственному желанию разлеглись. Минут за пять до подъезда министерского кортежа помощник губернатора, лежавший за кочкой, замаскированной свежесрубленной ольхой, получил от кого-то короткий звонок, вскочил на ноги и заорал не своим голосом: "Подымай коров! Едут!" Стёпины коровы послушно встали. Кортеж пронёсся секунды за три. Говорили, что впечатление министра было прекрасное.

На обратную дорогу грузовиков *Volvo* Стёпе не дали, но и тут повезло: свояченица Зина выпросила в автопарке у мужа здоровенный КамАЗ с прицепом. В общем, доехали.

С этих пор коровы Нефедова уже окончательно стали знаменитостью. Что и сыграло со Степаном злую шутку.

В субботу вечером районный глава вызвал Нефедова к себе с важным сообщением: в Ртищево смотреть на его коровник, как эффективное бизнес-предприятие, едет сама Раиса Станиславовна. И поднял так брови домиком: мол, вы меня понимаете. Это повыше министра будет!

Степан не понимал. Он любил коров, был доволен своей жизнью, никуда не лез и ничем сверх того, что у него было, не интересовался.

Глава вздохнул и проинформировал Нефедова: Раиса Станиславовна и есть самая большая начальница. К тому же красавица. И стерва.

Приедет она в понедельник в 8:30 утра, будет смотреть коров, Нефедова и вообще всё, что пожелает.

"В коровнике у тебя, я так понимаю, полный Эрмитаж, — довольно крякнул глава. — Но на подступах надо навести марафет. Сейчас поздно, а завтра пришлю тебе машину асфальта, сделайте, чтобы чин-чинарем, все ж таки сам понимаешь, кто такая Раиса Станиславовна".

Тут зазвонил у главы на столе телефон. И глава заговорил с трубкой тем своим бархатным голосом, которым обычно разговаривал с высоким начальством: "Да, да! Будет исполнено! Слушаю. Что вы, все готово. Надеюсь, наш Нефедов вас не разочарует".

Нефедов сник: как, зачем, почему он должен не разочаровать эту московскую фрю, какого лешего ей вообще надо в Ртищеве, зачем его коровам дышать ночью асфальтом, к чему вообще его класть на размытую и разбитую весенней слякотью дорогу. Почему и по какому праву, в конце концов, самое дорогое, что у него есть, он должен демонстрировать чужому, собравшемуся приехать нежданно-негаданно, без его, Стёпиного приглашения человеку?

Но делать было нечего.

Повесив голову, Степан Нефедов шел домой. Ангел семенил, как обычно, по левое плечо.

Ангел любил Нефедова. Стёпа был хороший и добрый человек. И беречь его ото всяких неприятностей Ангелу не составляло особого труда:

Больше всего Ангел боялся за сердце Нефедова: нежное, доверчивое, беззащитное. Вдруг в это сердце — переживал Ангел, — проникнет кто-то, хотя бы немногим более хитрый и неблагодарный, чем корова?

Асфальт клали до утра. В непроглядной мгле сбрасывали горячую массу с самосвала, мужики разравнивали лопатами, потом вслепую ездили маленьким катком, который глава одолжил на ночь в соседнем районе. Разошлись под утро.

Ангел гладил ненадолго уснувшего тревожным сном Нефедова по лбу: бедный, хороший, завтра все пройдет легко, уж я постараюсь, ты спи, спи.

Но вышло иначе: Ангел, как было выше сказано, сидел в луже с переломанной лодыжкой, а Нефедов шлепал, чавкая сапогами, к коровнику. Светало.

Глава ходил вдоль свежеположенного асфальта и курил. От асфальта в рассветных лучах солнца шел пар, создавая ощущение тревожности. На Витьку-скотника, решившего было ступить на асфальтовую дорожку, все дружно шикнули: "Уйди! Наследишь".

У главы зазвенел мобильник. "Едут!" — сверкнул он глазами. И все зачем-то построились вдоль асфальта в шеренгу.

Раиса Станиславовна приехала в большом и блестящем "мерседесе" с мигалкой, таком чистом, что Нефедов невольно подумал, что его моют каждые метров триста пути, иначе как бы они добрались до Ртищева, не заляпавшись. В кортеже были еще другие машины, оттуда повыскакивали люди, началась суета.

Какой-то дядька с зонтом выдвинулся вперёд и открыл перед задней дверью "мерседеса", удачно припарковавшегося прямо перед началом асфальтовой полосы, зонтик.

Раиса Станиславовна вытянула ножку. О, что это была за ножка, — у Нефедова закружилась голова, — белая, почти мраморная, без колготки, с черной безупречной туфелькой на тонкой шпильке. Дядька с зонтом помог Раисе Станиславовне выйти. Она улыбнулась всем ртищевским. И слегка пошатнулась.

Степан с ужасом заметил, что длинные шпильки туфель Раисы Станиславовны почти полностью ушли в теплый асфальт. Мужик с зонтом, слава богу, был начеку. Он подал министерше руку. И вдвоем, не слишком ровной походкой, они двинулись к коровнику. Все ртищевские медленно почавкали за ними вдоль асфальта, по грязи.

Тишина стояла такая, что Нефедову казалось, что он явственно слышит, как щелкают, отлипая от асфальта, надраенные туфли мужика с зонтом и как скрипят шпильки Раисы Станиславовны, которые ей с каждым шагом все труднее и труднее становилось вынимать из незастывшего парадного покрытия.

Где-то в середине этого полного опасностей пути Раиса Станиславовна расхохоталась и, откинув свои красиво уложенные белые кудри, звонко спросила:

— А что, нет ли у кого обыкновенных крестьянских сапог? Как же это я сама не сообразила?

Нефедов, сам не понимая, как это вышло, скинул свои сапоги, вжал торчавший из дырки носка большой палец и поднес Раисе Станиславовне требуемое. Она сделала грациозный шаг из лодочек в один сапог, потом в другой. И, теперь уже весело и безопасно прилипая к асфальту, проследовала к коровнику.

Черные лодочки, наполовину ушедшие в асфальт, так и остались стоять. Никто не решался к ним прикоснуться.

Остальное Нефедов помнил как в тумане: вот он идет за Раисой Станиславовной в одних носках по коровнику, вот врет и рассказывает про коров разные небылицы, позорно размахивает руками, наплевав на то, что резкие движения животных тревожат, выкладывает все интимные подробности: когда телилась да как. Потом он заставляет коров ложиться и вставать по команде, чтобы потешить Раису Станиславовну. Врет про удои, увеличивая и округляя цифры, беспардонно хвастается. А потом открывает прямо в коровнике черт знает откуда взявшуюся бутылку шампанского, наливает министерше, свите, себе и зачем-то поит корову.

В висках его только и стучало: “Не разочаруй, не разочаруй!”

Последнее, что Нефедов помнил, — министерша пригласила его сесть в ее “мерседес” с мигалкой, а кто-то из одинаковых мужиков сопровождения дал ему лаковые туфли по размеру вместо родных сапог.

Кортеж, резко развернувшись, несся по улице Центральной, обдавая брызгами весенней грязи дома. Досталось и Ангелу — он все еще сидел, прислонившись к нефедовскому забору, гладил сломанную лодыжку и, кажется, плакал.

В машине Нефедов и Раиса Станиславовна целовались. Как-то само собой решилось, что Стёпа поедет с министершей в Москву. А она все приговаривала: “Не разочаровал, ох, не разочаровал”.

В Ртищеве говорили, что жизнь Нефедова переменилась к лучшему: в столице Степану быстро нашлись квартира, машина и должность. А в голове его так и сидели те ночные слова районного главы, и он изо всех сил старался “не разочаровать”: пил дорогой коньяк не морщась, рассказывал стихи, что помнил, байки о коровах, да посмешнее. Правда, с каждой байкой внутри него все сжималось, как будто он предавал что-то дорогое и родное. Оставаясь наедине с собой, Нефедов казался себе брошенным, бесприютным, что ли. Складывалось у него ощущение, что никто его больше не бережет, не держит за левое плечо, а несется он, Стёпка Нефедов, на быстрых санках с огромной и скользкой горы жизни, никем не сдерживаемый, никем не любимый, одержимый одной только мыслью: не разочаровать. Кого, Господи, кого?

Сердце, кстати, стало побаливать. Он грешил на коньяк да на сигареты, к которым в прежней ртищевской жизни не был приучен.

Может, дело в них и было. Только вскоре Нефедов умер. “Сердце не выдержало”, — пожав плечами, сказал врач. Хотя чего, казалось бы, ему было выдерживать.

Ангел жил в Стёпкином доме сам не свой, не умея ничего поделать ни со своей, ни со Стёпкиной жизнью. А когда после смерти Нефедова дом продали, Ангел исчез, будто его и не было. Никто его не искал, потому что никому про него известно не было.

Только однажды маленькая дочь Васьки-скотника, про которую говорили, что умна не по годам, спросила отца: “Пап, а ангелы хромыми бывают?” “Ангелов нет”, — строго ответил Васька.

— Странно, я одного видела. Хромого…

Куклы и ангелы Марии Васильевны

Лежит старуха Мария Васильевна на двуспальной кровати, когда-то супружеской, но давно уже вдовьей, и размышляет об ангелах: в детстве она видела одного маленького, чуть больше спичечного коробка, он играл с ней вместе в куклы, которых бабушка шила из остатков своей портняжной работы. Куклы были мягкие, начиненные обрезками серого ватина, заправляемого бабушкой между пальтовой тканью и шелковой подкладкой. В ее тронутом распадом сознании они несколько перемешались — у кукол как будто прорезались крылышки, а ангелы не в белых перьях, а в пестрых юбочках. Но ангелы и куклы не играют в совместную игру, а как будто ссорятся, делят между собой какую-то штуковину вроде длинной коробочки.

Мария Васильевна пригляделась своими подслеповатыми глазами и узнала в этой странной штуковине себя самою, молодую и сильную, отбивающуюся руками и брыкающую ногами.

— Не хочу к куклам, хочу к ангелам, — сказала Мария Васильевна. И теплый ветер как будто понес ее в ангельскую сторону, и они ее приняли в свой зыблющийся под ветерком круг. А в доме поднялась суета: звонят по телефону, вызывают скорую помощь, участкового врача... Не надо! Ничего не надо! Лежит Марья Васильевна и улыбается.

Третий поступок

Ангелы, которых статистика, вообще говоря, не интересует, тем не менее знали, что есть три процента (некоторые полагали, что семь), которые совершают поступки, из-за них-то и происходят все лучшие (и худшие!) события в мире. А прочее большинство людей живут, не совершая никаких поступков! К редкой породе совершающих поступки относилась девочка Женя Резникова, которая свой первый сильный поступок совершила в семь лет, собственноручно отрезав косу, которую ее мама, человек более традиционных взглядов, заботливо отращивала у дочери к ее поступлению в первый класс. Как раз накануне первого школьного дня, 31 августа, семилетняя Женя и отхватила под корень свою уже вполне приличную косичку.

Второй поступок был менее значительный, но более преступный: она подарила подруге Люсе на день рождения подсвечник с пианино, никого об этом не спросив. Кончилась эта история ужасным образом: мама велела вернуть подсвечник на место, и эти минуты, когда она просила отдать ей ее подарок обратно, она запомнила на всю жизнь как самые стыдные.

Третий ее поступок был последним: было довольно холодно. Детей не выпускали гулять, но решительная Женя тихонько натянула шубу и выскользнула во двор. Там никого не было, и Женя пошла в Тимирязевку, где всегда кто-нибудь да был. И на этот раз, дойдя до пруда, она увидела, что хотя людей там нет, но была собака, бедолага — она забралась на середину пруда, и тут треснул лед, и она оказалась на большой льдине, отрезанной от берега. И Женя прямо в пальто кинулась спасать собаку. Она почти поплыла, но пальто мгновенно намокло и потянуло ее вниз.

Вместо героического получилось нечто трагическое: Женя утонула вместе с собакой. Икон в собачьем обиходе, в отличие от человеческого, нет, но если бы были, то непременно в каждой псарне в углу висела бы икона святой Жени-собакоспасительницы и собаки Гаврика. Но ангелы Женю и без иконы почитают, особенно ангел по имени Рох, покровитель домашних животных.

Прогулка на кладбище

Слегка подломанная лавочка еще держалась, хотя покачнулась, когда на нее сели две старухи.

— Эти новые рабочие еще хуже старых, — заметил тихо Итур Второй.

— Не думаю, — отозвался Абдил. — Которые работали в прошлом веке, тоже никуда не годились.

Старушки продолжали свою беседу, ангелы устроились на ветках над их головами и вздремнули.

— В шестьдесят втором, нет, в шестьдесят третьем в сентябре, — начала свой рассказ Мария Васильевна, старушка простоватая, не по сезону тепло одетая, с пуховым платком на плечах и в обрезанных валенках, — нам дали путевки в санаторий, горящие были, прямо с завтрашнего дня, и я собралась сразу, покидала в чемодан все вещи, и на поезд. И поехали мы с Мишей в эту самую Зеленую Поляну...

— А мы в самые Карпаты в восьмидесятом в санаторий ездили… — перебила Мирра Львовна. — И не по профсоюзной путевке, а в министерстве дали, в виде награды.

— Вы в Карпаты в восемьдесят первом ездили, у меня открыточка от Миши от того времени сохранилась, — заметила Мария Васильевна.

— И правда, правда, в восемьдесят первом, — подтвердила Мирра Львовна. — У Миши уже диагноз был!

— Ох уж этот диагноз! Маруся Воронежская сразу сказала: врачам не верьте, им только денег давай, — и сделала тогда Мише первый травный настой. И он на нем два года продержался.

— Ну да! Продержался. Не на том настое, а на химиотерапии. Врачи из пятьдесят второй больницы ему поначалу очень хорошо метастазы остановили.

Мария Васильевна хотела возразить, но сама себя остановила: спорить с Миррой Львовной было бесполезно, она никаких возражений не принимала и всегда стояла на своем до последнего. Они помолчали, каждая вспоминая свое, потому что все было в их жизни разным — происхождение, воспитание, образование, — и только в одной точке их биографии сходились, в графе “Семейное положение”: обе они в разное время своей жизни писали “замужняя” и ставили фамилию мужа Хенкин.

Но прошло уже двадцать лет, как Михаил Абрамович Хенкин умер, детей после себя не оставив. Была только племянница Зиночка, которой он помогал с тех пор, как Зиночка в отроческом возрасте осиротела…

Зинаида обладала от рождения могучей энергией, была первой драчуньей во дворе, потом первой отличницей в школе и к любому делу, за которое бралась, охладевала сразу после того, как побеждала соперников. Как будто не само по себе дело ее интересовало — школьная стенгазета, конкурс сочинений, дипломная работа в институте, — а только победа в соревновании. Ей нравилось быть в любом деле первой, и только в семейном строительстве происходили все время неудачи: ушел от нее первый муж, сын от первого брака, достигши десяти лет, ушел к отцу, вторая семья держалась, покряхтывая, исключительно благодаря бдительности Зиночки, которая со второго своего мужа глаза не спускала и не давала ему смотреть по сторонам, к чему он был склонен. Жизнь ее была расписана по деталям, и среди обязанностей, которые она на себя взяла, было посещение и поддержание семейной могилы. Два раза в год, после Пасхи и перед первым снегом, в конце осени, Зина добродетельно посещала могилу, чтобы осенью покрыть памятник целлофановой пленкой, а весной остатки этой пленки убрать.

На этот раз Мирра Львовна и Мария Васильевна решили поехать вместе, в целях экономии на такси и взаимопомощи в уборке.

Обе со вниманием готовились к поездке: купили рассаду, набрали в большую бутылку воду, приготовили бутерброды, чтобы на скамейке у могилы позавтракать. Мирра Львовна заехала на такси за Марией Васильевной, и обе с удовольствием отметили, что у каждой были и совок, и веник. Остановились у входа на кладбище, зашли в маленький цветочный магазин. Но цветов там покупать не стали: гвоздики были непристойно красного цвета, а хороших могильных цветов — гиацинтов или нарциссов — не было. Хорошо, что рассадой заранее обзавелись. Они прошли по длинной сквозной дороге вдоль кладбища, свернули на нужном повороте, возле могилы майора Пронькина, со звездой и фотографией военного. Он был как бы регулировщик их движения. И гуськом, по узкой тропинке подошли к своей могиле. Сели на лавочку передохнуть с дороги, огляделись. Все было прекрасно: выросший за двадцать лет клен, посаженный Миррой Львовной, вырос в порядочное дерево, и чугунная решетка впилась ему в ствол, безболезненно изувечив. Солнце пробивалось сквозь листья, украшая землю остроугольными тенями.

— Зиночка, умница, все хорошо сделала, — одобрительно заметила Мируся.

— Решетка все же грубовата, — отозвалась Маруся.

Посидели в молчании. Потом убрали участок и посадили рассаду. Потом развернули свертки с бутербродами. Маруся вытащила маленький плоский флакончик с водкой и две стеклянные рюмки. Выпили не чокаясь, как полагается в таких случаях. Закусили

Посидели, повздыхали и ушли, тщательно собрав мелкий мусор.

На могилах были выбиты имена: Михаил Абрамович Хенкин, Мирра Львовна Хенкина, Мария Васильевна Хенкина-Целовальникова. И даты смерти. Старухи переглянулись:

— А все же ты раньше меня ушла.

— Какая разница — всего на два года.

— Но ты на два года больше с Хенкиным прожила.

— Да. Но как он тебя любил в молодые-то годы! — сказала одна старуха.

— Да и тебя любил, в твои-то старые, — заметила вторая старуха.

Отпуск заканчивался, пора было возвращаться.

— Ты проводи ее до могилы Пронькина, оттуда она дорогу и сама найдет, — шепнул Абдил Итуру Второму. Итур Второй кивнул в ответ, опустился и ласково подпихнул старушку в нужном направлении…

ШЕСТЬЮ СЕМЬ

Семь концов человека

Он хотел сказать еще “прости”, но сказал “пропусти”, и, не в силах уже будучи поправиться, махнул рукою, зная, что поймет тот, кому надо.

<…>

Страха никакого не было, потому что и смерти не было.

Вместо смерти был свет.

<…>

— Кончено! — сказал кто-то над ним.

Он услыхал эти слова и повторил их в своей душе. “Кончена смерть, — сказал он себе. — Ее нет больше”.

Л.Н. Толстой. *Смерть Ивана Ильича*

1

Отзывчивость Верочки была всем известной — первой прибегала на помощь, когда и не звали. Однажды позвонила подруга Тамара, сказала, что ей плохо, что вызвала скорую помощь и просит, чтобы Верочка к ней срочно приехала, — вручить ей ключи от квартиры и дать последние распоряжения… Верочка быстро собралась, схватила потрепанную сумочку и выскочила на улицу, надеясь схватить такси. Но свободных машин не было, ни одного зеленого огонька, и она побежала к метро “Речной вокзал”, где такси всегда стояли, ожидая пассажиров. Она бежала изо всех ног — насколько позволяли ее старческие силы и приличия. Бежала, бежала и не добежала. Упала и умерла по дороге. А к подруге Тамаре приехала скорая, ей сделали укол и даже в больницу не забрали. Обошлось.

2 Нет, никто не ожидал от Нины Гавриловны такого поступка — она пригласила гостей не на Новый год, не в день рождения, как обычно, а в рядовую субботу октября, просто в гости. Сварила харчо из бараньих косточек и пожарила курицу из продовольственного заказа. Квартира у нее была ведомственная, и дом примыкал к Бутырской тюрьме, где она и работала тюремным врачом.

Гости ушли за полночь. Нина Гавриловна еще долго мыла посуду, вытирала ее чистым полотенцем — никаких сушилок для тарелок не признавала, и посуда ее блестела благодарным блеском. Легла, и уж совсем начала засыпать, и вдруг чуть не подскочила: в тот день утром к ней доставили окровавленного парнишку со сломанным носом, долго битого. Она сразу сказала начальству, что надо бы в больницу везти, операцию делать, но капитан Селезнев заржал: а мы ему сами операцию сделаем… Парень стонал, Нина Гавриловна дала ему обезболивающее из своего тайного запаса, перевязала. Он задремал, но сквозь сон все постанывал. И Нина Гавриловна смотрела на него спящего и подумывала: кого это он напоминает… Фамилия у него была из анекдота — Рабинович.

И вот тут, уже начав засыпать, она вдруг как опомнилась: парнишка тот с разбитым носом был поздний сын ее единственной любимой подруги-одноклассницы Розы, Розочки — вот отчего показался знакомым. Роза давно жаловалась, что сын ее с ума сошел, хочет в Израиль эмигрировать, и с работы его уже выгнали, и жена его бросила, а он все в Израиль… И Нина Гавриловна, убежденно бездетная, сочувствовала Розе: как так, сын матери не жалеет, бросает на всю жизнь? На что их тогда рожать, деток этих…

Заболело у Нины Гавриловны сердце. Ведь всю жизнь Роза на этого паршивца положила, и родила его без мужа, и карьеры никакой не сделала, хотя была среди подруг умницей и отличницей. И мысль о бедной Розе и дураке ее сыне все не отпускала, и сердце просто разрывалось. И разорвалось…

На другой день нашли ее мертвую на полу, а рядом бутылочка с валерьянкой… Ни у кого сомнений не было: умерла Нина Гавриловна от сердца. Так оно и было.

3 Нора мечтала о белокурой кудрявой девочке, но оснований для этого никаких не было: сама

она была кареглазой брюнеткой, хотя в дальнем родстве были внушающие надежду светловолосые, но муж был безальтернативный армянин. А девочки не было никакой. Армянин исполнял неукоснительно брачный обряд год, и два, и три. Однако ему хотелось не девочку, а мальчика. И когда он потерял надежду, то оставил Нору с ее несостоявшейся девочкой и с несостоявшимся мальчиком и взял себе белоглазую блондинку, которая родила ему сразу двойню — девочку и мальчика. Так все и закончилось.

4 Маленькая старушка ходила на ходунках. И год, и два, и три. Ловко ходила. И на высоких каблуках. Цепко ухватившись узловатыми пальцами за поручни, переставляла худые ножки, и задники туфель чуть спадали, и она ловко ими управляла на ходу, не теряла обувки. Но однажды пошла в магазин — никому не доверяла покупок, выбрала два яблока, три картофелины, помяла цепкими пальчиками хлеб, сметану ей хотелось попробовать, но в магазине пробовать не давали, и она долго ее разглядывала и принюхивалась — и упала. Туфельки коричневые с перепонкой на пуговке слетели. Лежит она на кафельном полу дореволюционного магазина, в котором всю жизнь продукты покупала. Сумку к груди прижимает. И все! Больше ничего о ее характере добавлять не надо!

5 Еще что-то было про толстенького подростка. Звали его круглым именем Олежка. Его били в школе, били во дворе, били на улице, били в подъезде. Он научился укрываться от ударов, загораживал голову, заслонял лицо. Однажды в подъезде избили окончательно. Плохо загородился. Жалко его. Троих ребят, которые его били, посадили в детскую колонию. Один так никогда не вышел, попал в настоящий лагерь, его там и убили. Второй сгинул в армии — неизвестно, то ли однополчане застрелили, то ли сам застрелился. А третий просто дорогу перебегал и под машину попал. Всех жалко.

6 Николай Никитич был самым здоровенным из всех охранников. И одним из самых старых. Рабочее место его давно уже было не в тюремных коридорах, а сидел он на входе в Бутырскую тюрьму, за стеклянной изгородкой, и кнопку нажимал, когда надо было впустить посетителя. Пил он чай с сахаром, до десяти стаканов в смену. Был у него электрический чайник, которым никому не давал пользоваться, и жестяная коробка, куда он перекладывал из пачки сахар-рафинад пиленый кубиками. И заварка была своя — простая, но самая лучшая: индийский со слоном. В столе под ключом держал. Налил он в полдень себе стакан крепкого чаю, положил в него пять кусков сахару, быстро алюминиевой ложечкой размешал

и глотнул... Чай он любил такой горячий, какой никто пить не мог. А тут подавился, закашлялся — и все!

7 А этот вообще был безымянный. И прожил прекрасную длинную жизнь. И помнил ее от самого начала, когда почувствовал в себе два полюса — верхний и нижний, голова и ноги, а может быть, северный и южный... сначала протянулась от верха до низу тонкая трубочка, и он стал расти, и дорос до размера небольшой ягоды, вроде смородины, а на ней появились ушки и носик — неизвестно зачем. Он слегка задвигался и почувствовал, что определился в мальчики. Прошло еще немного времени, и выросли у него глазки и зачесались зубки. Глазки сначала ничего не видели, зубки тоже не знали, для чего они сделались. А уши вдруг начали слышать всякий шум, по большей части неприятный и тревожный, но был в этом шуме один различимый голос, ласковый и успокаивающий. А потом прибавилось совершенно изумительно чувство — он закачался и поплыл. Это было чудесно! К тому же оказалось, что вода, в которой он барахтался, прекрасна на вкус, и вкус этот менялся — то сладковатый, то солоноватый, и запах к этому вкусу как-то прикреплялся, и становилось все интереснее! И появились мысли, первые и слабенькие. На глазах выросли ресницы, над ними брови, и в один прекрасный миг глаза сами собой

открылись и увидели свет. И не только свет он стал видеть — он стал видеть сны… Теплая рука касалась живота, гладила его через многослойное тело, и это было чудо как приятно. Он плавал и плавал, как вдруг какая-то сила его перевернула и толкнула его головой в такой узкий проход, в который ни за что ему было не протиснуться. Но эта же неведомая сила его подталкивала, не давала укрыться ни в одном из мягких углов обжитого дома и начала выдавливать. Это было страшно и больно, но невозможно сопротивляться. Узкий проход как будто немного расширялся, но давил, больше всего на голову, и он исхитрился, перевернулся и пошел вперед ногами, и голове было не так больно. Это было ужасно обидное изгнание — его просто выпихивали из дома, который он полюбил, в котором было так уютно… И он уперся головой в какую-то кость и ни с места, затормозился. Тогда грубая сила ухватила его за ножки и потянула. Было больно, и длилось это долго… и его вытянули в конце концов в ужасное и холодное место, где дул ветер и было так страшно, и так хотелось вернуться обратно. Он почувствовал сильный удар по ягодицам и понял: от него хотят, чтобы он закричал… Не буду! Ни за что! И он сжал рот и не закричал. Они долго лупили его, заставляли закричать. Нет, нет и нет! Ни за что… не хочу. Не буду.

Семь рождений

1 Орал он так, что понимающие акушерки заулыбались: боец родился. Кто так яростно кричит, тот и сосет хорошо. А кто хорошо сосет, тот в жизни успешный… Первое, что выделилось из полной непонятности, был сосок: розово-коричневый и упруго-мягкий. Главное — от соска сильно и притягательно пахло. И младенец ухватился за него твердыми деснами так крепко, что мать вскрикнула. Жизнь, сладко-молочная, брызнула в рот. И он осознал, что он сам и есть рот. Потом он узнал, что он Митя. Митя всю жизнь с первой минуты до последней знал, что жизнь есть то, что можно сосать, кусать, жевать и глотать.

2 Девочка не заплакала, только пискнула. Пропустила первое человеческое высказывание, которое обычно делается громко, полными воздуха легкими, и расширяет окружающий мир кри-

ком. Она как будто знала, что ее мать уже подписала бумагу — отказ от нее. Ведь родившаяся девочка была случайностью и детской глупостью: ее мать, сама пятнадцатилетняя девочка, только немного пообнималась с одноклассником, он горячими ладонями ее обтрогал по всем неприличным местам и как будто и не совершил ничего такого, от чего дети родятся. Не пробил природной обороны. Только потолкался на входе и пометил свое приближение мутным плевком вязкой жидкости. Но девочка-то завязалась, и вот она... Ненужная.

3

Что там произошло в глубинах времени до их рождения, никто никогда не узнал. Сначала все шло обычным порядком, было два отдельных существа, собиравшихся стать близнецами, а потом что-то нарушилось. В области позвоночника. И сверху все было как у всех, две головки, два сердца, четыре руки, но нижняя часть тела срослась, и вместо четырех ножек на двоих образовалось всего три, и та, что торчала между двумя совершенно нормальными, была сросшаяся, неуклюжая и для ходьбы непригодная. Мама упала в обморок, когда их ей показали. Жили девочки в Институте педиатрии, в отделе патологии. Звали их Маша и Даша. Фамилия была подходящая — Кривошеины. Когда им исполнилось четыре года, лишнюю непарную ногу отрезали, и они стали ходить на двух общих ногах, у одной правая, у другой левая, опираясь на два костыля — справа и слева. Разделить их оказалось невозможно — живот был общий, и кишечник, и печень одна на двоих, и почки. Они были сиамские близнецы, хотя ничего сиамского в них не было, русские девочки. Девочки жили долго. Сиамские близнецы обычно столько не живут.

4 В те давние времена, когда эти мальчики родились, в роддоме №29 в Лефортове работала сильно пьющая нянечка тетя Ксеня. Однажды в несколько замутненном состоянии она помогала медсестре мыть перед выпиской новорожденных деток и, одевая, перепутала на их ручках квадратики желтой клеенки с именами, написанными обслюнявленным чернильным карандашом. Никто не заметил случайной подмены, даже взволнованные родительницы. Так и росли обмененные детки у чужих родителей. Один мальчик вырос любящим сыном, а второй, едва достигнув сознательного возраста, вошел с родителями в пожизненный конфликт. Так до конца их жизни не смог примириться с тем, какие идиоты родители ему достались. Да и они тоже удивлялись, что за странный сынок у них народился: у всех дети как дети, гоняют в футбол, лазают по крышам, а ихний все с книжками сидит. А вырос — стал он не слесарем, как отец, а, прости господи, не выговоришь — астрофизиком. А другие родители, которые были

сильно образованными кандидатами наук, тянули своего беспутного сынишку, уроки с ним делали, репетиторов нанимали, а он даже школу не закончил, стал грузчиком на Белорусском вокзале. Никакого генетического анализа еще не было. Может, и хорошо?

5 Русская девчонка Нина, без особой красоты, но приветливая и добрая, работала в городе Цюрихе в борделе. Уборщицей. Платили ей совсем ерунду, и Нина денежки свирепо копила, потому что у нее был заранее составленный список покупок. Первым номером в списке было пальто с меховым воротником маме, вторым — протез папе, третьим — брату черный костюм. Неожиданно предложили огромный заработок за небывалую работу: вы́носить чужого ребенка для богатых бездетных швейцарцев. Нина согласилась. Сделали ей анализы и вставили в живот такую мелкую чепуховинку, которая прижилась и стала расти. Нина впервые в жизни зажила богато. Легко и беззаботно, в нанятой для нее хорошей квартире. Без всяких токсикозов и других неприятностей доходила почти до конца беременности, а на девятом месяце задумалась: жалко ребеночка отдавать. И приняла решение — не отдавать ребеночка, а уехать домой в город Электросталь и там родить. Нина уже и билет взяла. Но случилось непредвиденное: схватки начались раньше назначенного времени на неде-

лю или на десять дней, и она своим работодателям ничего не сообщила, в больницу не пошла, а родила в заброшенном доме-сквоте, где жила предпоследний год, и совершенно самостоятельно: без акушеров-гинекологов, медсестер и нянечек. Так в точности, как рожала ее прабабушка в чистом поле и бабушка в теплушке по дороге на Урал в эвакуацию. Когда подошел день отлета, привязала Нина свою дочку пяти дней от роду простынкой к животу, надела просторное платье и смело пошла в самолет. Вроде как беременная... Девочка, солнышко такое, не пикнула. Плакать начала уже в самолете. В воздухе... И черт с ней, с мамкиной шубой и папкиным протезом, не говоря о черном костюме для брата. И черт с ней, со Швейцарией. Уборщицей она и в Электростали устроится. А про богатых швейцарцев, которые доверили ей свою оплодотворенную яйцеклетку, она вообще и не вспомнила.

6 Лида была магазинная воровка, и притом удачливая. Первый раз ее поймали еще в шестом классе, забрали в милицию, но отпустили. Воровать она не перестала. Дело это ей нравилось: то у соседки по парте шарфик стянет, то в переходе метро с лотка какой-то флакон цапнет, то туфли из магазина стибрит. Тут и неприятность случилась: в переходе метро приглянулись ей сапожки на одном лотке. Лида взяла один сапожок, под куртку

засунула и унесла. Потом пришла за вторым. Он стоит, с виду тот самый. Она его сняла с прилавка, привычным способом под куртку засунула и вынесла. А домой пришла, видит — фасон и цвет тот самый, и размер подходит, да оба левые. Но было уже поздно, на другой день после школы пошла ошибку поправить, но продавщица оказалась очень умная, и, только Лида свою операцию провела, продавщица сразу заорала, и тут же милиционер подскочил, заранее подготовленный для ловли воровки. Ну и пошло-поехало. В милиции ее задержали и завели дело. Это была беда не велика. Но пока ее перевозили в СИЗО, двое охранников в автозаке ее изнасиловали. И это тоже было бы ничего. Лида, как Красная Шапочка в известном анекдоте, нападений не боялась: денег у нее не было, а потрахаться к этому времени она любила. Но обнаружила она беременность поздно, на седьмом месяце. Дурочка совсем, раньше не заметила. Пока сидела в СИЗО, подошло время рожать. Начались схватки ночью, сокамерницы подняли шум: кричали, били алюминиевыми мисками в дверь — врача вызывали. Такой шум подняли, что повезли Лиду под конвоем в двадцатую больницу, в специальное отделение, где рожают преступные женщины, пристегнутые наручниками к спинке кровати... И хотя Лида всю беременность ребеночка своего ругала, во время родов к нему переменилась: ей сильно захотелось, чтобы был он мальчиком, и представлялся он ей не новорожденным, а уже подростком, даже молодым человеком. И когда она кричала изо всех сил, так что чуть глаза из орбит не вылезли, она немного и улыбалась, такая радость вдруг на нее нашла. И родился Виктор стремительно, слегка прорвав узкие ворота, и закричал не визгливо, а почти басом. Сразу и на всю жизнь Лида его полюбила. И не зря. Мальчик ее с первого дня стал помощником жизни: перевели их на новое место, в тюрьму в Печатниках, в специальную камеру, где содержались мамаши с младенцами, и суд над Лидой смягчился, и дали ей сроку всего ничего, три года, и отправили в колонию, где был дом ребенка. И снова повезло ей больше всех — еврейке врачихе так понравился ее Витенька, что она их обоих пожалела, взяла Лиду уборщицей в отделение, где содержалось еще двадцать таких тюремных деток. И — не поверите! — вся Лидина жизнь повернулась с тех пор через Витю в хорошую сторону. Даже — не поверите! — когда освободилась, ей как матери-одиночке квартиру дали. Вот как удачно родила.

7 Роженицу привезли по скорой, с улицы. Она была без сознания. Сразу — в операционную. Через несколько минут голая женщина лежала на столе. Инвалид. Культи выше колен, хорошо сформированы. Воды отошли. Родовая деятельность никакая. Ребенок был еще жив, сердечко тикает. Растерянный анестезиолог обратился к хирургу

с одним словом: эпидуральная? Тот кивнул. На лицо женщины положили кислородную маску и начали вводный наркоз. Готовить пациента к интубации…

Девчонки забегали, и кесарево сечение хирург начал через тридцать пять минут. Сделал вертикальный разрез от пупка до лобка. Не горизонтальный. Ассистент переглянулся с хирургической сестрой: так делают только по жизненным показаниям. И все эти показания предвещали скорее смерть, чем жизнь: клинически узкий таз роженицы, прекращение родовой деятельности, вероятная отслойка плаценты и гипоксия плода. Хирург работал со скоростью бегуна на короткие дистанции, и соперником его была смерть. В такое единоборство он попадал не первый раз в жизни, чаще он проигрывал, но иногда удавалось и победить. Через двадцать две минуты это соревнование закончилось — победу ознаменовал детский крик.

Мать все еще была в медикаментозном сне, новорожденного осмотрели все участники этого события: здоровый ребенок, без заметных врожденных дефектов, рост 53 сантиметра, вес два килограмма девятьсот сорок граммов. Дыхательные движения и мышечный тонус удовлетворительные, кожные покровы розовые, на раздражения отвечает гримасой.

Мать проснулась через пять часов. Материлась. Потом назвала свое имя: Тамара Игнатьевна Вахромеева. Возраст тридцать восемь лет. Без определенного места жительства. Потребовала немедленно показать ребенка. Обрадовалась, что мальчик. Сказала — будет Игнат.

Жизнь Тамары Игнатьевны с тех пор пошла в горку: сына она никуда не сдала, хотя предлагали сдать в дом ребенка.

Рабочее место у нее теперь возле станции метро "Коломенская", неподалеку от того роддома. Сидит она теперь в инвалидной коляске с рулем, на больших колесах. Работники родильного дома сложились, а хирург добавил сколько не хватало. Подарили ей коляску к выписке. На руках у нее сын Игнат. Подают много. Тамара Игнатьевна снимает комнату у одной пьющей старухи. Но сама не пьет. В рот не берет. Нельзя этого кормящей матери. И вообще — матери…

Семь болезней

1 Зуб болел сначала чуть-чуть, потом сильнее, а потом со страшной силой. Но больше боли Саша боялся зубного врача. Хотя Саша боялся всех, кто носил белый халат. И он заупрямился, не хотел идти. Мама дала честное слово, что больно не будет. И повела Сашу к врачу. Врач пристегнул его к креслу так, что пошевелиться было невозможно. Саша доверчиво открыл рот, и улыбающийся всеми белыми зубами молодой доктор залез ему в рот железным крючком, и стало так больно, как никогда в жизни. И даже кричать было невозможно, потому что в рот была вставлена какая-то распорка, которая мешала крикнуть. Можно было только мычать. Саша и замычал. Мычал он маме, что она обманщица… А доктор влез ему в рот какой-то блестящей железякой, уцепился за зуб, ловко повернул железяку, и раздался ужасающий хруст. С этого мгновения Саша раз и навсегда потерял доверие к маме. До конца ее жизни.

2 Болезнь была почти незаметная. Лена слегка покашливала. Да все люди иногда покашливают. Когда поднялась температура, вызвали врача из поликлиники. Он назначил анализы, рентген и велел пойти к еще одному врачу. Сначала врачи рассуждали: тебеце или не тебеце. Потом сказали — тебеце. И закончилась для Лены нормальная жизнь. Сначала забрали из музыкальной школы, потом из обычной и начали поить. Мама — таблетками, бабушка — топленым молоком с пенками, а вторая бабушка прислала из деревни баночку с барсучьим вонючим жиром, чтобы Лену им мазали. Дальше становилось хуже и хуже: отправили в туберкулезный санаторий. Но там стало еще хуже, и из санатория ее отправили не домой, а в больницу. В больнице Лене исполнилось двенадцать лет. Из дома прислали подарки. Самым лучшим был конверт от дяди Кости. В конверте лежала самая большая купюра из всех возможных — Лена таких в руках никогда не держала. Вечером, когда в палате все улеглись, Лена стащила у спящей соседки шерстяную кофточку и сбежала из больницы. Домой ей возвращаться не хотелось. Она решила путешествовать. Пошла на Казанский вокзал и села в поезд. Больше ее дома никто не видел, хотя подали во всесоюзный розыск. Спустя десять лет после побега эту историю она сама мне рассказала. Мы с ней проболтали всю ночь по дороге в Хабаровск. Она была проводницей. А туберкулез у нее сам прошел.

3 Нонна всегда и везде была самой красивой девочкой: в группе детского сада, в школе, в гимнастической секции. Два раза приглашали в кино сниматься. И всегда ей везло благодаря заметной на любом расстоянии красоте. Даже когда сдавала экзамены в институт и очень плохо отвечала по истории, пожилой экзаменатор так ей и сказал: ответ на тройку, но за ваши прекрасные глаза добавлю балл. Прекрасны были и глаза, и нос, и овал лица, и все прочее. Взяли ее на истфак. И вообще всегда везло, не только на экзаменах, в любой игре, даже в лотерею. В университете на ее красоту все смотрели: и сокурсники, и старшекурсники, и преподаватели. Но поклонников не было: красота была отпугивающая. Слишком уж. В середине третьего курса выскочил на щеке прыщ. Большой и толстый. Через три дня еще парочка. А через неделю от Нонниной красоты ничего не осталось — через заслон прыщей лица было не разглядеть. Пошла по врачам. Поставили диагноз "фолликулярный дерматит". Лечение почти не помогало. Только через три года прыщи перестали проклевываться на бывшем прекрасном лице. Но следы, красные круглые шрамчики остались на всю жизнь. И везти перестало. Везение ушло вместе с красотой. Вот тут-то она и вышла замуж за хорошего человек, которого ее бывшая красота не смущала. Он ее не застал.

4 В сорок пятом году Клавдии было восемнадцать, она закончила курсы Красного Креста и определилась работать в туберкулезную больницу. И сразу же влюбилась в больного Филиппа. И вышла за него замуж, когда выписали его помирать… Однако врачи ошиблись — умер он только через два с половиной года.

Филипп был молод, высок ростом, худ до совершенной костлявости и красив так, что четырехлетняя Женя, проживавшая с родителями в той же многокомнатной коммунальной квартире, на всю жизнь запомнила его сказочное лицо — Финист — Ясный сокол, или Андрей-Стрелок, или Иван-Царевич. Но был он, несмотря на истошную синеву глубоко утопленных в глазницах глаз, волк волком. Лечили его от туберкулеза, вспыхнувшего после ранения, но каверны съедали его легкие, а еще пуще съедала злоба на весь белый свет, на весь мир живых, которые останутся жить на земле, когда его уже не будет. И чем меньше оставалось легких, тем ярче кипела злоба, своей страшной силой обращенная более всего на жену. Хороша собой Клава не была: рябоватое личико, нос уточкой, длинна, сутула, плоскогруда…

Филипп любил жену всеми силами своей злой души и лупил нещадно все два с половиной года их брака. Он бил жену смертным боем и матерно ревел, гоняя ее по длинному квартирному коридору от входной двери до выхода на черную лестницу. Клава была проворна, длинонога, все норовила выскочить на улицу по черной лестнице, а он догонял ее, а если не догонял, то запускал в нее сверху сапожной лапой или молотком. А она ловко уворачивалась. Кричал он всегда одни и те же слова: жить будешь, сука, а мне помирать!

Когда у Филиппа начинался очередной приступ ненависти, замешанной на любви, Женина мать Тамара забирала всех квартирных детей в свою комнату — дочку, Генку, сына Клавы и Филиппа с багровым родимым пятном во все правую щеку, и девочку Тарасову, внучку стариков Тарасовых.

Тамара доставала коробку с лото, раздавала длинные карты с цифрами и включала радио, заглушавшее отчасти коридорные крики. В последний год в коридорные крики жизни добавился еще один мотив:

— От кого родила, блядь, от кого родила, говори!

Под Новый год Филипп, еле таскавший ноги, пошел за водкой и во дворе упал. Соседские мужики притащили его домой. Накануне он принес Тамаре, которая каждый месяц одалживала ему безвозвратный трешничек, маленькую благодарственную елку. Женин отец не одобрял расточительности жены и хмыкнул: пенсию бездельнику выплачиваешь? Но она только пожимала плечами. Про те трешники, которые она давала Клаве, он вообще и не знал.

В последний день старого года, незадолго до окончательного расселения коммуналки, посреди кухни из мелких столиков жильцов составили длинный стол. На нем стоял гроб с Филиппом, а на всех четырех конфорках только что установленных газовых плит варился рис для кутьи. Запах подгоревшего риса мешался с запахом хлорки и еще каким-то новым, тревожным и даже ужасным. На лоб Филиппа была надета какая-то полоска бумаги, окаменевшие руки были сложены так, что в пальцах твердо стояла горящая свеча, а белая простыня покрывала его по грудь, и видны были его военные награды — одна с Лениным и одна со Сталиным. На той, которая со Сталиным, было написано “Наше дело правое, мы победили”.

Клава билась о гроб и кричала какие-то слова, из которых можно было разобрать всего несколько: горе мое горькое, на кого ты меня оставил, ни поильца у мене, ни кормильца…

Семка, сын Филиппа и Клавы, мальчик с родимым пятном во всю щеку, отца ненавидел и, глядя, как мать бьется о гроб и кричит низким чужим голосом несуразные слова, возненавидел и мать.

Он закончил семилетку, потом техникум, потом поступил на электроламповый завод и закончил вечерний институт. Дорос до главного механика. Не женился. Деньги матери посылал по почте, а в гости к ней не ходил. А в тридцать лет пробудились в нем отцовские палочки Коха, и он умер от скоротечного туберкулеза. Снова Клава плакала, кидалась на гроб. А потом получила хорошую пенсию за потерю единственного кормильца. И жила долго, до глубокой старости.

Раз в год, на Пасху Клавдия приезжала к выросшей Жене и ее постаревшей матери Тамаре с куличом, украшенным бумажной розой. Она помнила те трешки.

5 Когда человек с детства много болеет, он привыкает к болезням и находит в них некоторую прелесть. Шурик в детстве болел животом и кожей, ушами и горлом, позже стал болеть суставами и печенью. И все это не мешало ему сделать хорошую инженерную карьеру. Когда учился в институте, он был лучшим студентом и женился на самой красивой девочке курса. Она его уважала и болезни его тоже уважала. К старости лет болезней стало больше, а любви, может, и поменьше. Сделали на шестьдесят шестом году жизни Александру Семеновичу неприятную операцию, удалили простату. Не совсем удачно сделали, он третий месяц лежал почти не вставая, на нем была целая амуниция, которая изрядно отравляла ему жизнь. И ему даже захотелось умереть поскорей. Жена его Тома ухаживала за ним честно и круглосуточно. Они давно уже разъехались спать по разным комнатам — она в маленькую, он остался в большой. И кричал оттуда громко и раздраженно "Тома!", когда ему что-то было нужно… И Тома бежала со всех ног. И днем, и ночью. Однажды ночью сползло одеяло, и он закричал. Она прибежала не сразу, он успел несколько раз прокричать. И тут она вбежа-

ла, придерживая на животе халат, приговаривая: “Сейчас, сейчас, Шурик…” И вдруг рухнула. И он вскочил, чтобы помочь ей подняться. Но она лежала как мертвая. Он не сразу понял, что она мертвая. Приехали врачи, потом сын, а потом ее похоронили. И Шурик стал болеть дальше. Как бывшему фронтовику, ветеранская организация ему прислала помощницу. Как еврею, другая организация, еврейская, прислала ему еще одну помощницу. И он болел долго и комфортно. И умирать ему расхотелось.

6 Так бывает, что сестры друг друга не любят. А бывает хуже того — ненавидят. Вот так и произошло между сестрами Рожковыми. Они были совсем еще девчонки, одной шестнадцать, другой восемнадцать, когда умер дедов брат, бездетный и бессемейный. И оставил им немалое наследство. Наследство кое-как поделили, но при дележке рассорились так, что перестали не то что встречаться, а даже с днем рождения друг друга не поздравляли по телефону. И как ни старалась их мать Ксения Алексеевна примирить сестер, не получалось. А мамочку, надо сказать, обе они очень любили. И как-то осенней порой вышла Ксения Алексеевна погулять, села на холодную лавочку и простудила свои женские органы. Лежит, боли страшные, а врача-то вызвать стыдно: откуда на нее напала вдруг дурная болезнь. Но болезнь была не дурная,

а обыкновенный цистит, воспаление мочевого пузыря — не сиди на холодных лавочках, бабуля! Но Ксения Алексеевна так стеснялась, что страдала в одиночестве. Не совсем в одиночестве, потому что дочки прибегали, волновались, шумели, наконец привезли к ней на дом врача. Не врача — врачиху! Понимали, что мужчину она не подпустит к своему больному телу, особенно к нижней его части. Сестры сначала ходили, соблюдая очередность, а потом перестали контролировать приходы-уходы и стали встречаться около матери регулярно. При матери не собачились, а даже как-то объединились общей заботой. Лекарство, которое врачиха прописала, надо признать, подействовало: болезнь прошла. Вот Ксения Алексеевна и задумалась: дочки от ее болезни как будто злятся друг на друга меньше, договариваются, как маму совместно наилучшим образом обслужить… А если встану, — думает Ксения Алексеевна, — так ведь опять друг на друга волком будут глядеть. Лежит совершенно здоровая Ксения Алексеевна в ночной рубашке, в постели, лежит и лежит… и будет лежать долго, хотя ей уже надоело, она бы вышла из дому погулять, на холодной скамеечке посидеть, еще раз свой женский низ простудить, только чтобы дочки вот так встречались у ее постели, не ругались, не ссорились, а помогали друг дружке выхаживать больную мамочку…

7 Они уже давно за ней присматривали — и Тощий, и Белесый. Оба самого низкого разряда служащие. Над ними всегда посмеивались, они привыкли даже к непристойным шуточкам, которые время от времени отпускали в их адрес вышестоящие все. Именно что все. И ничего удивительного, что и назначена им была в разработку такая ничтожная Старуха. Когда-то она была почти знаменита, почти профессор, читала какие-то лекции… проходила по опасной грани допустимого. Но не переступала. Времена были как раз такие, что условия задачи надо было соблюдать точно, а решать задачу — не обязательно. Потом она тихонько сошла, без всякого заметного скандала, а теперь доживала одиноко, на маленькой пенсии, которой ей, впрочем, вполне хватало. И присматривать за ней было поручено таким же, как и она сама, незначительным сотрудникам, в давние времена подававшим надежды, но никаких надежд не оправдавшим.

Утром Старуха съедала кусок хлеба, выпивала чай — без всякого интереса, уходила в маленькую комнатку, которая называлась кабинет, — комнат, между прочим, было две, что было, вне всякого сомнения, излишеством, и Старуха это прекрасно понимала. В лишней комнате стояли полки с книгами, и она делала вид, что читала. Трудно было проверить, читает она на самом деле или просто сидит над пыльными страницами.

Так неделю за неделей сотрудники работали — в хорошую погоду стояли возле подъезда, в плохую поднимались на этаж выше и стояли на лестничной клетке. Присматривали, должны были контролировать приходы-уходы посетителей. Но посетителей не было. Сама же старуха спускалась вниз по утрам на второй этаж, к висячей шеренге почтовых ящиков, вынимала газету и возвращалась. Из парадного на улицу — никогда.

Даже интересно: чем она питается? Ведь никто к ней не ходит, еду не носит.

У Тощего была любящая жена, которая была озабочена худобой мужа и каждый день выстраивала стопку бутербродов, заворачивала в пергамент и укладывала в бумажный пакет. И всегда бутербродов было больше, чем было ему нужно для спасения от дневного голода. Недоеденные бутерброды относил домой, и жена была недовольна.

Служба их все продолжалась, и уж очень надоело им топтаться возле этой никчемной старухи. Но другого задания всё не давали. В один прекрасный день Тощий шутки ради, а вовсе не из человеколюбия, повесил на ручку двери наблюдаемой квартиры сверток с двумя нетронутыми бутербродами. Наутро сверток исчез.

С тех пор так и пошло: почти каждый день вешали они на ручку двери небольшие сверточки, и теперь появилась новая забава: поймать минуту, когда дверь приоткрывается и сухонькая рука снимает сверток и втягивает его внутрь.

Под Новый год Тощий предложил Белесому подарить ей жареную курицу. Они посмеялись —

и сделали! Повесили пакет с пахучей курицей... Они долго ждали, когда она эту курицу заберет.

А она все не брала, не выходила. Ребята забеспокоились. Вызвали скорую помощь. Дверь она не открыла. Не умерла ли? Вызвали слесарей. Взломали дверь. Старуха была жива, но оказалось, случился с ней микроинсульт. В больницу ее не забрали. Приказа заканчивать слежку не было. Они толклись на лестничной площадке и обсуждали между собой, что же никто ее не навещает, забыли про нее друзья и единомышленники. Или они не знают о ее болезни?

Вешали они на ручку двери свои бутерброды до тех пор, пока окривевшая лицом старушка не обратилась к ним с просьбой принести ей молока.

Дальше так и пошло: то молока, то хлеба. Тут наконец, после двух месяцев этой службы наружного наблюдения, их отзывают. А Тощий, который жил по соседству, так по привычке к ней и ходил раз в неделю — приносил продукты. А под Рождество она послала его на почту в почтовый ящик поздравительные открытки закинуть. А что, неплохая ведь история? Рождественская.

Семь пар близнецов

1 Родились мальчики-близнецы. Даже нельзя сказать, что похожие — одинаковые. И родинки на груди одинаковые, каплеобразные. У одного возле левого соска, у другого возле правого. А под родинкой сердце бьется: у одного с левой стороны, у другого с правой. Старый врач-педиатр положил мальчиков рядом и говорит: зеркальные близнецы. Любуется. А врачи-акушеры возле роженицы топчутся, не могут кровотечение остановить. И не остановили. Шесть недель близнецы пролежали в роддоме, их собирались сдать в дом ребенка, но оформление все тянулось, и детей забрали родственники: одного взяла сестра их покойной матери, а второго — бабушка, мать их непутевого отца, который к этому времени сидел в тюрьме за драку. Братья разлучились, не узнав о существовании друг друга. Бабушка так ненавидела свою покойную невестку, что и сестру ее знать не хотела. Развезли детей по разным местам: одного в богатый

город, другого в бедную деревню. Учились оба плохо, за шесть лет закончили четыре класса, городской пошел в ремесленное училище, а деревенский в поле и в огород бабке помогать. А в восемнадцать лет обоих забрали в армию. В один день забрали, в один день выпустили. И дальше пустились по одной дорожке: городской подружился с двумя взрослыми мужиками, перекупщиками краденого, а младший свел знакомство с теми, которые умели ловко красть. Тут их дорожки если не разошлись, то разветвились: один пошел по добыче, другой по реализации. Промышляли ровно три года, и успешно. И оба проявили себя щедро по отношению к благодетельницам: городской выселил из теткиной квартиры соседку, дав ей изрядное количество денег, а деревенский отремонтировал бабкин дом, о чем та всю жизнь мечтала. Правда, обе недолго попользовались щедростью ребят: бабка вскоре после ремонта померла, а тетка заболела туберкулезом, ее отправили в лечебницу, а потом все же и она померла… В тот год обоих ребят и забрали: одного взяли прямо “с дела”, ко второму пришли домой среди ночи и увезли.

Встретились в СИЗО. И сразу же вступили в настороженные отношения. Однофамильцы Петровы. И день рождения совпадает. Сутки присматривались друг к другу, потом сообразили: братья…

2 Родились девочки-близнецы. Похожие до неразличимости. Одной повязали на руку на всякий случай красную ниточку. Назвали именами, на слух похожими: Таня и Аня. Их так часто путали, что они и сами иногда путались: отзывались на оба имени. Самое большое различие находилось не на поверхности, а внутри: Аня была сильная, с мотором, а Таня была как будто у нее на буксире.

— Хочешь кашу? — спрашивала мама у Тани, а она говорила: как Аня. Так Таня до окончания школы ходила за сестрой неотвязно вторым номером: Аня на гимнастику, Таня за ней, Аня в кино, Таня за ней. Аня на свидание, и тут Таня пытается за сестрой увязаться. А когда школу закончили, пути немного разошлись, хотя обе взялись иностранные языки изучать: Таня поступила в педагогический, а Аня выбрала институт, тоже по иностранным языкам, но имени Дзержинского. Закончили в один год, и тут их пути разошлись: Таню направили на работу в Политехнический музей экскурсоводом, Аню — в большой дом по соседству, оба места рядом с памятником Дзержинского. В том же году сестры разругались и разъехались. Таня вышла замуж и переехала к мужу, а Аня получила служебную квартиру. Таня по душевному порыву тайком на казенном принтере копировала антисоветские документы, Аня по служебной надобности выслеживала тех, кто этим занимался. Увиделись сестры последний раз в коридоре большого дома на площади Дзержинского, когда Таня, трясясь от страха, шла в указанный на повестке кабинет, а Аня шла в столовую, где дешево кормили и раз в неделю давали хорошие продовольственные заказы. А еще раз встретились на маминых похоронах. Былое их сходство прошло, никто бы и не сказал про них, что сестры.

3 Девочка была как будто одна, но в двух экземплярах. Врачи заранее прощупали, что младенцев будет двое, и никого это не огорчило — ни маму, ни папу, ни бабушку. Мальчик в семье уже был, первенец, четырехлетний отцов любимец. Он, родившись, всем жизнь изрядно испортил, орал ночами не переставая, даже организовали ночную смену — через ночь один из родителей шел к соседке Люське отоспаться. А эти, Ирочка и Ларочка, были просто ангельские дети: ели и спали, ели и спали и голоса не подавали. И росли, никем не различаемые, не доставляя родителям тех забот, которые обычно доставляют девочки: между собой не ссорились, мирно играли, делились игрушками и ничего не требовали. К тринадцати годам стала проявляться разница — Ира стала раньше взрослеть и в росте обогнала сестру. К восемнадцати годам Ира выглядела совсем половозрелой женщиной, а Ларочка как будто остановилась на тринадцати. Так дальше и пошло. Ира вышла замуж, родила дочку, располнела, развелась с мужем, вышла за другого, еще раз располнела, а Ла-

рочка все оставалась незамужней и худенькой, как шестиклассница. Но в умственном отношении дела ее обстояли хорошо: институт закончила, работала в конструкторском бюро, в мужском окружении. Поклонниками тем не менее не обзавелась, хотя внешность ее была приятная, хотя и неяркая. Сестра Ира печалилась из-за ее неустройства, пыталась познакомить с молодыми людьми, устроить какую-нибудь жизнь, но Ларочка отмахивалась: на что она, эта личная жизнь? К тридцати пяти годам Ира отяжелела, постарела лицом, а Лара все порхала со своими сорока пятью килограммами весу. У толстой Иры подросли дети, мальчик и девочка, нарожали ей внуков, она сделалась порядочной бабушкой, седой и морщинистой, и нянчила внуков. А Лара все не старела, удивляя окружающих. Сестры совсем утратили удивительное сходство… Потом Ира заболела какой-то мудреной болезнью, два года болела и умерла изношенной в конец старушкой. А Ларочка все оставалась молодой и жила как студентка, хотя годы ее были уже совсем не студенческие. На завтрак яйцо всмятку и чашка чаю, в обед тарелка овощного супа с куском хлеба, на ужин чай пустой. На работу уже не ходит — пенсионный возраст. И каждый день гуляет в Тимирязевском парке, на птичек смотрит. И вот ей уже восемьдесят четыре, она все так же стройна, худощава и моложава. И старение ее совершенно не коснулось. Разная оказалась у сестер жизнь, хотя родились-то — копии.

4 Просто поверить невозможно, во что вылились развод Таси и Севы и дележка детей. Мальчикам было по три года каждому, и к трем годам они враждовали вполне сознательно. При всем их сходстве один был худой, второй упитанный. Почти толстый. Обмен веществ у них был сходный, но толстяк Федя был жадный и отнимал у брата не только игрушки и ботинки, но и еду. Просто долг у него был такой перед братом: все у него забрать. При разделе имущества Федя отошел отцу, Гриша достался матери. Наступила для Гриши другая жизнь, все лучшее доставалось теперь ему одному, но он не радовался, испытывал даже некоторое беспокойство: теперь он делился с мамой. Мама ему сладкий кусочек подкладывает, а он маме. Гришина жизнь стала просто лучезарной, только раз в месяц устраивали родительский день и отец с Федей приезжали их навещать, но это можно было перетерпеть. Иногда встречи отменялись — по болезни. Гришины болезни случались обычно как раз накануне семейной встречи. И мама Тася тоже часто болела. Так и поделились: одна пара здоровых, вторая больных. У здоровых отношения были так себе — у отца в новом браке были еще двое детей, и отец возился с малышами, а на Федю особого внимания не обращал. Гриша с мамой, наоборот, очень сблизились — ухаживали друг за другом во время почти непрекращающихся болезней. Гриша был нежный и податливый, а Федя резкий и упрямый. Гриша пошел в фельдшерское учили-

ще, а Федя — в военное. Воевал в Афганистане и других горячих точках. Ордена и медали получил. А Гриша клистиры ставит и уколы больным старушкам в доме престарелых. А говорят, генетика! Да где ж она?

5 Одна девочка родилась в полном порядке, а у второй врожденный вывих бедра. Маруся плакала — ей хотелось одного мальчика, а не двух девочек, да еще одна из двух инвалидка. Но делать было нечего — судьба! Судьба же оказалась исключительно прихотлива. Хромая девочка, при большом внешнем сходстве с сестрой, опережала сестру по всем показателям развития: раньше научилась говорить, ходить, читать, даже в шахматы играть. Но ходила медленно, покачиваясь, а бегать вообще не умела. Хромая завидовала здоровой, а здоровая хромой. Здоровая вышла замуж, а хромая, при всех своих дарованиях, жила одиночкой. Жили они в одной квартире год, другой, а на третий год муж переместился от здоровой к хромой. Ведь так не бывает!

6 Эти братья-близнецы были не разлей вода. Удивительное дело: никогда не ссорились, не дрались, всё друг другу уступали, во всем друг друга поддерживали. А потом один женился и привел жену Симочку в их двухкомнатную квартиру. В од-

ной комнате неженатый брат с мамой, в другой женатый со своей Симочкой. Может, у Симочки зрение было слабое, а может, нездоровый интерес в ней проснулся, но как-то так получилось, что она переспала и с другим братом. Ну, так и пошло... Сначала женатый расстроился, а потом опомнился: чего огорчаться-то? Всегда ведь всем делились. Не чужие ведь. А потом мама умерла, Симочка поселилась в маминой комнате, и расписание завели, простое: по четным дням один, по нечетным второй. Справедливо? Особенно когда в месяце не тридцать один день, а тридцать.

7 Сестрички были одинаковые и жили одинаково. Мать умерла, отец пил, пил и постепенно исчез. Сестры занимали большую комнату с лепниной на потолке в коммунальной квартире на Арбате. Кое-как закончили восемь классов, пошли в ПТУ учиться на швей-мотористок. Выучились. Шили кое-как на небогатых соседок. Потом клиентура расширилась. Пришел художник, принес рубашку заграничную с пуговками на вороте, попросил сшить точно такую же. Сшили. Он рубашку забрал и пригласил их к себе — сделаю из вас моделей, говорит. И стал делать. Нанял какого-то бывшего балеруна — движение им ставить, брови им сбрил, другие нарисовал, показал, как надо лица красить, дал коробочки с разными красками-пудрами, портного позвал, нашил им одежды —

немного, но очень необычной. И стали они на него работать: он их фотографировал, а фотографии продавал для рекламы. Однажды пришел к художнику в мастерскую итальянец настоящий, журналист. Влюбился в одну из сестричек так сильно, что сделал предложение. Одежды ей привез целый ворох — итальянской. Приехал расписываться. Расписались. А вторая сестричка надела ту итальянскую одежду, что жених привез, заперла сестру в ванной, а сама вместо нее и уехала в Италию. И стала итальянской женой. А первая сестричка так расстроилась, что вышла из комнаты с лепниной на потолке и бросилась в пролет лестницы. Всё.

Семь семей

1 История эта редкая и редкостно счастливая. Оля Ртищева и Аня Гринберг дружили с первого класса, и дружили так дружно, что ни разу не поссорились. Потом они дружно поступили в Институт легкой промышленности, потому что поступить туда было легче, чем в другой технический вуз. И учиться там было легко и весело. Быстро образовалась теплая компания, а внутри компании возникли парочки: сначала Оля влюбилась в Сережу, а вскоре Аня завела себе дружка Бориса. На третьем курсе сыграли две свадьбы в один прием. Эта двойная свадьба была веселой и многолюдной, но настроение Оли было испорчено тем, что ее свежий муж Сережа лихо отплясывал весь вечер с ее подругой Аней. Через полтора года, когда Оля уже родила дочку Леночку, обнаружилось, что ее муж Сережа тайно встречается с Аней. Олю оскорбила не столько супружеская измена, сколько измена дружеская. Она ничего не сказала, но

совершила симметричный шаг. Еще через полтора года эти романтические приключения на стороне вскрылись. Встретились, совместно обсудили создавшуюся ситуацию и пришли к интересному и простому решению — совершили обмен: Аня переехала в квартиру Сережи, а Оля объединилась с Борисом. Все были счастливы. Дочка Леночка, которую с раннего возраста друг дома дядя Борис катал на спине, никакого дискомфорта не испытывала. Прошло еще полтора года. Обе семейные пары продолжали встречаться. Справляли Новый год в квартире общих институтских друзей. Компания была некурящая, и единственный курящий гость Сергей открыл балконную дверь, чтобы там покурить, и увидел страстно целующуюся парочку: это были Борис и Аня… Сережу не заметили, он тихо попятился. За опустевшим столом сидела Оля. Она, родившая к этому времени мальчика в новом браке, слегка покруглевшая и помолодевшая, улыбнулась ему, и он почувствовал такой прилив нежности, какой давно не испытывал. Он подошел к ней, положил руку на плечо и тихо спросил: Олюша, может, хватит? Переиграем обратно? Она кивнула: я тоже об этом думала.

Через две недели снова совершили рокировку. И опять все были счастливы. Единственное, что портило обновленную картину, — поездки отцов к детям через весь город, что отнимало много времени. Но собрались, обсудили логистические проблемы и нашли хорошее решение: девочки подыскали такой удачный обмен, что жить они стали в одном доме, только в разных подъездах. И снова все счастливы. Ходят друг к другу в гости.

2 Семнадцать лет длился бездетный и безлюбовный брак двух уже не молодых людей. Муж собирался уйти. Не к другой женщине, а к матери, которая жила одна в маленьком городе Коврове, в ветхом доме с удобствами во дворе. Ни тепло постели, ни запах кухни дома его не удерживали. И муж совсем уж решился переехать к матери, даже и работу подыскал в глухом и безработном месте — брали его учителем труда в школу-восьмилетку, в которой и сам он когда-то учился. Все уже было обдумано, он так уже настроился на другую жизнь, и мать его ждала и договорилась, что привезут кровельное железо крышу новую положить. И он с удовольствием думал, как будет эту работу делать… Совсем уже собрался, обо всем договорился, и тут жена ему сказала: не уезжай, у нас ребенок будет. Он не поверил. Подумал, врет. Но живот и правду у нее, худощавой и плоской, как будто увеличился и грудь располнела. Какой на старости лет ребенок? Зачем ребенок? Раньше надо было. Ему сорок пять, ей сорок два.

В смутном беспокойстве остался он с женой, недоумевая, от какого такого редкого случая она понесла. Мысль о супружеской измене и в голову ему не заходила: кто мог соблазниться старой тощей козой. Решил, что дождется родов и уедет к матери. Когда ему сообщили, что родилась дочка, он испытал облегчение и подумал, что теперь-то он и уедет. И мысли о переезде в Ковров были остро-тревожные: что там мать за железо купила, не обманули ли ее.

Жена писала из роддома смутные письма, плакала в окошко, и он все не мог понять, чего же она не радуется, ведь ей ребенка всегда хотелось. Он решил вести себя по-хорошему: все деньги, что собрал на ремонт материнского дома, решил оставить жене и, как привезет их из роддома, сразу к матери. Уже и вещи собрал, и кое-какие инструменты прикупил.

Маруся пришла из роддома не через неделю, а через месяц — что-то было с дочкой не в порядке. Потом определилась причина: девочка оказалась больна неизлечимой болезнью Дауна. И где она могла ею заразиться, пока в утробе матери лежала, муж понять не мог. Как взглянул он на дочку, так и понял, что никуда не уедет. Личико желтенькое, глазки щелочками, на китайку похожа. А ладошки у нее такие крохотные, врастопырку — куда тут ехать. С первой минуты прикипело его сердце к дочке. Счастливая, очень счастливая родилась девочка: отец любил ее без памяти, а мать и того больше. Вообще-то в жизни так не бывает. Обычно от таких жен-детей мужья уходят. Но этот, Степан, был особенный.

3 Никто из этих женщин этой семьи не планировал безмужнюю жизнь. Так получилось по неведомой причине. Мужчины не прививались к их дому. А сам дом был хороший, чудом сохранившийся в центре Москвы особнячок. Чудо, правда, имело вполне реалистическую подоплеку: на доме висела табличка, сообщавшая, что здесь в каком-то затертом году выступал Ленин. И домик не сносили. И не выселяли Огородниковых, которые были не чужими друг другу, а представляли четыре поколения одной женской семьи. Впрочем, Софья Ивановна в то время, о котором идет речь, уже собиралась умирать и к этому обстоятельно готовилась. Ее семидесятилетняя дочь, дитя войны, отца своего не знала. Внучка со своим отцом была тоже незнакома, он даже не знал о ее существовании. Внучка твердо решила поменять семейную традицию женского одиночества, вышла замуж, поменяла фамилию, чтобы обмануть судьбу, но муж испарился еще до рождения ребенка, и подросшей дочери на щекотливый вопрос об отце отвечала, что папа работает на Севере. Выдумка казалась удачной до того момента, как она обнаружила в столе у дочери коряво исписанный листочек, начинающийся словами “Дорогая доченька”, — девочка написала себе письмо от имени отца… Какое-то проклятье лежало на этих вполне миловидных женщинах: ни отцов, ни мужей… На двадцатом году жизни правнучка Софьи Ивановны привела в дом подругу, рослую спортивную женщину лет тридца-

ти, и она стала у них жить. Вопрос, кем приходится правнучке эта женщина — мужем или женой, — Софью Ивановну не интересовал. Всё лучше чем ничего.

4 Брак у этой парочки после пяти лет трудов оказался бесплодным. Решено было взять ребеночка в детском доме, но никому об этом не рассказывать. Ребеночка взяли не без трудов, оформление было тяжелым, заняло много времени. А взяв мальчика Артема, сразу переехали в другой район, чтобы никому в голову не приходило, что ребенок усыновленный. Когда сыну исполнился год, решили, что в одиночку будет он расти эгоистом и надо бы еще одного ребеночка. Девочку Варю они получили удивительно быстро, без всяких длительных процедур в органах опеки. И образовалась идеальная семья: отец работает в фирме, мама сидит с детками, и дачку купили, и машину — на дачу ездить. Все друг друга любят, а особенно друг друга любят брат с сестрой. Не ссорятся, напротив, мальчик пошел в школу на год раньше и на другой год взял над сестрой шефство, в котором, честно говоря, она нуждалась. А он нуждался в сестре: ни к кому на свете не был он так привязан, как к этой прозрачной девочке. Так и росли они, и привязанность братская плавно перетекала в смутную тягу потрогать, погладить нежную девочку, а она принимала благосклонно

его мимолетные движения. Меняться все стало, когда ему исполнилось пятнадцать, а ей четырнадцать. Мать слегка забеспокоилась, заметив эту взаимную склонность, а отец смеялся: Ромео и Джульетта нашлись! Брат с сестрой друг друга потрогали, погладили, открыли большую привлекательность в этом развлечении и развлекались до тех пор, пока не начал у сестрички расти живот. Никакой трагедии на этом месте не произошло. Варечка родила как раз ко дню своего шестнадцатилетия. Нельзя сказать, что родители были в восторге от всей этой истории. Но как только новорожденную девочку принесли в дом, новорожденная бабушка просто обезумела от счастья: двоих деток она вырастила, но не с нуля, попали они к ней уже подросшими, ходить начинали. Возиться с таким мелким младенцем ей никогда не приходилось, и маленькие ручки-ножки-пальчики взяли ее за сердце. Внучку свою она тоже удочерила. Так и получилось, что мать и дочь еще и сестры, а бабушка заодно и мама. Ничего плохого…

5 Тамара Ивановна ослепла не сразу. То есть зрение всегда было плохое, но последние годы из плохого превратилось в полную слепоту. Геннадий Петрович оглох в отрочестве, после легкой скарлатины. Подслеповатость одной и тугоухость другого нисколько не мешали их любви. Напротив, по мере того как общепонятное разговорное общение

становилось все сложнее, все лучше они понимали язык прикосновений. Этот язык связывал только двух людей на всем свете. У всех других людей он был языком любви — ласки рук, языка, кожных покровов, а эта пара жестами сообщала всякие бытовые вещи: не сходить ли в магазин, не прогуляться ли по солнышку... Вечерами Геннадий Петрович и Тамара Ивановна сидели перед телевизором взявшись за руки и смотрели старое кино единственным в мире способом: глухой рассказывал слепой, что видит, а она ему в ухо кричала — что слышит. Они жили долго и много лет сидели перед телевизором накануне Нового года, смотрели "Карнавальную ночь" и за руки держались.

6 Все шло хуже некуда и дошло до того, что Павел, не устраивая никаких объяснений, стал собирать вещи. Главное — бумаги и книги, которые надо было увезти в тот дом, куда решил перебраться после восьми лет челночных движений от Лихоборов до Ясенева, от дома жены Сони до дома подруги Наташи. Он вышел на кухню попить водички, открыл кран и услышал странный переливчатый хрип, который принял сначала за голос водопровода. Но нет, из комнаты жены раздавался этот непривычный и пугающий звук. Он вошел к ней — Соня задыхалась, хрипела, лицо ее было багрового цвета. Павел испугался и вызвал скорую помощь. Врачи приехали через двадцать минут.

Сделали укол, подождали, когда приступ пройдет и уехали. Диагноз поставили — бронхиальная астма. Раньше ничего подобного не бывало. Павел положил чемодан на шкаф и позвонил Наташе: не могу сейчас приехать, попозже позвоню. Три дня Соня лежала в постели, почти не вставая. Ничего не ела. Павел приносил ей чай. Потом вроде прошло. Через неделю Павел снова начал собирать вещи — и снова услышал уже знакомый хрип. И снова вызвал скорую помощь. Пять раз подряд происходила эта нелепая история. Павел решил повременить с уходом. Приступы прекратились. Когда он через два месяца снял чемодан со шкафа и начал собираться, у Сони снова начался приступ. Он видел, что она не притворяется. Они не разговаривали уже давно. Оба готовы были расстаться. Но странная Сонина болезнь всякий раз, когда Павел начинал собирать вещи, просыпалась и не давала ему уйти. И он остался. Наташа на него смертельно обиделась и отказала от дома. Сонина болезнь прошла. Семья осталась.

7 Акимовна была злая церковная старуха, никого не любила, даже сына своего Николая. А особенно не любила, можно даже сказать, ненавидела свою невестку Тоньку. И внуков, ее деток, тоже не любила. Вся ее любовь шла только в одну сторону — к Божьей Матери, и не ко всякой, а к Скорбященской, окруженной людьми с недугами и скор-

бями. Ездила непременно на празднование этой иконы на Большую Ордынку и обливалась там сладкими слезами ни на кого не истраченной любви. Прежде она жила с семьей сына, но их муравьиный дом расселили и ей, по ее просьбе, дали однокомнатную квартиру на нее одну, без сына с невесткой и без внуков. Хотя и в дальнем конце города. Сын как будто сначала обиделся, а потом привык навещать мать раз в месяц, после получки, в любой день кроме воскресенья. Воскресенье ей не годилось, потому что этот день она проводила с утра до вечера в церкви у Скорбященской.

Вдруг Николай приехал к ней в неурочный день, довольно поздно вечером. Сел, не снимая куртки, на стул и заплакал. Потом говорит:

— Мам, у Тони рак нашли. Врач сказал, злой, и недолго ей осталось. Прям не знаю, что делать...

Потом вынул из кармана четвертинку, заглотил ее прямо из горлышка, бросил пустую склянку на пол:

— Что же твой Бог-то попускает такое?

Он захмелел сразу, есть не стал, денег обычных не дал — то ли забыл, то ли, может, на лечение жене решил припасти...

Наутро Акимовна собралась раненько и поехала в свою Скорбященскую. Никого там еще не было, служба не начиналась. Она встала на колени возле иконы Всех Скорбящих Радости и начала молитвенный разговор. Сначала покаялась, что невестку свою не любит, ругаться не ругалась, но в душе проклинала и теперь вот чувствует свой грех, что Тонька заболела и помрет, оставит сиротами двух детей. И заплакала. А под конец попросила: Матушка, лучше б я за нее поболела, пусть бы и померла, сделай такую милость…

Не один раз она это повторила. Много раз. На коленях стоя…

И все сделалось быстро, как в кино. Через неделю сделали Тоньке операцию, опухоли не нашли, зашили и отпустили. А еще через неделю у Акимовны схватило бок как клешнями, и она сразу поняла, что болезнь от Тоньки ушла, а к ней пришла. Ни к каким врачам Акимовна не ходила. Терпела боль, мазала лампадным маслом — немного помогало. Три последних дня сильно мучилась. Но знала, что больше трех дней ей терпеть не придется. Так все и произошло, по молитве. Однако, что самое было поразительное — ненавистная Тонька как будто все это узнала по небесному телефону. Горько плакала на отпевании Акимовны и купила себе в новую трехкомнатную квартиру бумажную икону Всех Скорбящих Радости. Не от большой веры, а чтобы сделать посмертно-приятное ненавистной свекрови Анастасии Акимовне.

Семь концов света

Ветер

Начиная с вечера четверга послышался этот зачаточный звук, в пятницу он окреп и уже не был похож на мираж — в нем слышалось “же”, “ше” и немного “че”.

Вечером в пятницу самые чуткие люди почувствовали, что из мира выдуваются острые огорчения, переживания и даже страдания.

К субботнему утру все ссоры утихли, люди както присмирели и почувствовали небывалое опустошение.

Ветер все усиливался и не менял направления — с востока на запад. Усиливался и журчащий звук, как будто утекала вода. Но с водой было все в порядке: гладь озера не морщилась, а морские приливы-отливы работали как всегда, без устали и без остановки.

Странный ветер выдувал уже не только злые помыслы, но и вообще всякие: и симпатии, и дружеские связи, и любовные отношения.

Внешне люди оставались теми же самыми, но чувствовали себя как перчаточные куклы, из которых вынута рука актера. Людские души затихли в утешительной пустоте.

Все сдувало: мусор, садовые скамейки, потом машины начали биться одна о другую и въезжать в стены домов. С дорог исчезли легковые, а следом автобусы и грузовики.

Метро работало, но люди не могли добраться до входов с буквой "М" из-за свирепого ветра.

Воскресным утром стали валиться кресты с церквей и шпили высоток.

Звук струящегося воздушного потока изменился — уже не "же" и "ше" шелестели, а прибавилось рычащее "эр" и новый неслыханный звук с какой-то горловой картавостью.

Воскресным вечером от города почти ничего не осталось — ветер сдул дома и кирпичи, на которые распались дома, унес вырванные с корнем деревья и верхний слой почвы.

Когда обнажились археологические пласты — какие-то постройки тысячелетней давности, — ветер сразу и окончательно утих.

Это был конец света, но никто об этом не узнал.

Никого не было.

Дождь

В четверг под вечер после долгой засухи небо заволокло пышными светлыми тучами и пошел долгожданный дождь. Все радовались, потому что устали от жары, пыли и сухости, которая начиналась от ноздрей и губ и проникала до самого низа легких.

Тонкий мелкокапельный дождь стоял плотной вертикальной стеной, штрихуя прозрачными линиями все пространство от земли до невидимых туч. В полном безветрии дождь не усиливался, не слабел и не переставал.

Всю пятницу люди радовались за себя, свои огороды и подсыхающие городские скверы, напитавшиеся большой водой.

К субботнему утру вода уже не успевала уходить через уличную канализационную систему, и отдельно стоящие лужи слились в небольшие стоячие реки, повторяющие изгибы и повороты улиц. Площади превратились в пруды. Воды было по колено, подвалы и подземные переходы затоплены. Линии метро превратились в подземные быстротекущие реки там, где тоннели шли под уклон, и в набухающие водохранилища там, где шел подъем.

К середине дня все двенадцать подземных рек, давно запрятанных в коллекторы и непроницаемые рукава, вырвались на поверхность и ринулись в поисках своих старых русел, от которых не осталось и следа.

В жилищах людей вода капала с потолков, заливала через окна-двери, струилась вдоль стен, изливалась из буфетов, сочилась из плотно закрученных кранов. Люди вылезали на крыши, но крыши постепенно скрывались под водой.

К вечеру воскресенья большая вода целиком покрыла место, где прежде был большой город, и только на вершине каким-то чудом сохранившейся Останкинской башни красными и зелеными огнями электрических букв сияла реклама ресторана СЕДЬМОЕ НЕБО и отражалась в черной неподвижной воде.

Это был конец света, но никто об этом не узнал. Никого не было.

Огонь

В четверг под вечер начали готовиться к огненному празднику. Захлопали первые хлопушки, рассыпаясь разноцветными искрами. Люди разожгли факелы и хором восхваляли свою длинную историю, которая начиналась от первого костра, возле которого грелись и жарили добычу первобытные люди, и привела современное человечество к изобретению гигантских мусоросжигательных заводов, где огонь трудится для очищения мира от отходов, и к благопристойным крематориям, в пылающую глубину которых уходили отходы человеческие — покойники.

Утром в пятницу всех охватила страсть к очищению: старые документы и потрепанные книги, изношенную одежду и старомодную обувь складывали ритмичными горами и поджигали.

Костры радостно вспыхивали и испускали языки пламени и снопы искр.

Всю пятничную ночь и весь субботний день деловито сжигали ненужное, нужное и даже необходимое, а в небо взлетали ослепительно-белые струи химического огня и разноцветные фейерверки.

Встревоженные пожарные в огнезащитных костюмах и сверкающих шлемах разъезжали на красных машинах с цистернами воды по осевой линии улиц, но тушить было нечего: костры не были пожарами, а были частью праздника.

Субботним вечером праздник вышел из берегов.

Где-то сорвался со спички неумышленный огонек. Сигаретный окурок запылал в урне, и она расцвела пестрым вонючим цветком. Короткое замыкание в проводке испустило букет искр, они зажгли бумажки, деревяшки, скатерти, занавески, перекрытия...

Запылал дом, и вся улица радостно воспламенилась.

Пожарные принялись за работу — полезли по высоким шатким лестницам по пылающим этажам и там исчезли.

Огонь поднимался от глубоких подвалов к крышам маленьких и больших домов.

Все воскресенье огонь выжигал город, полз по земле и изливался маленькими ручейками через скверы и палисадники в пригород, растекся по лесам и полям.

Летучие искры перелетали через реки и моря. Пылали горящие корабли и летели горящие самолеты. И вскипала вода, уступая победу огню.

Это был конец света, но никто об этом не узнал. Никого уже не было.

Вирус

В четверг под вечер доктор вышел из бокса и полностью разблокировался — снял комбинезон, антибактериальную прокладку и смыл под душем дермозащиту. Надел впервые за четыре месяца свой любимый синий свитер и старомодные джинсы. Положил в карман две запаянных ампулы и планшет жизнеобеспечения.

Посмотрел на себя в зеркало: ненавистное жалкое лицо. Маленькие рядом стоящие глаза, между ними тонкая переносица, вислый нос, впалый рот. Он подмигнул себе и вышел на улицу. В городе уже включали вечернее освещение. Доктор вынул планшет и нажал транспортную кнопку — через минуту рядом с ним опустилась перевозочная кабина. Он вошел в нее, включил самую малую скорость и самую малую высоту полета.

Было время вечерней прогулки. Нарядные сучки прогуливались перед сном. Но их было маловато, и доктор подрулил к амфитеатру на пять тысяч мест и опустился. С трудом нашел свободное место. Соседки посмотрели на него с удивлением, и он понял, что совершил промах — надо было надеть женскую одежду, чтобы быть менее заметным в их толпе. Но это уже не имело значения. Он вынул ампулу и обломил хвостик. Ровно через минуту рядом закашляли.

Дело его, кажется, удалось.

Доктор нажал кнопку на планшете, кабина опустилась, он вошел в нее и взлетел. Приземлился в Центральном аэропорту, прошел через пропускник, взял кофе в бумажном стаканчике, отхлебнул с большим удовольствием, потом сел в кресло в зале ожидания, вынул из кармана вторую ампулу и раздавил между пальцами. Рядом сидящая женщина чихнула, посмотрела на часы и побежала на свой рейс. Она летела в Австралию…

В ту ночь весь мир, то есть его женская часть, составляющая девяносто три процента населения, закашляла. Скорая помощь захлебнулась от вызовов, но к вечеру пятницы там не оставалось ни одной здоровой сотрудницы.

Утром в субботу во всем городе не было ни одной живой сучки. Доктор наблюдал из окна аэропортовской гостиницы, что редкие прохожие проходили по улице. Только мужики. Здоровые!

К вечеру субботы сучье вымирание закончилось. Доктор ликовал: он выполнил свою мечту — синтезировал антисучий вирус и теперь отомстил всем — матери, которая его предала, жене, которая его бросила, дочери, которая отказалась с ним общаться… мир теперь будет принадлежать только мужикам.

Это был еще не конец света, но он наступит скоро — как только вымрут последние членоносцы последнего поколения вида *Homo sapiens*.

Но пока об этом никто не знал.

Скоро, скоро никого не будет.

Зелень

В четверг под вечер запахло какими-то необычными цветами. Запах был слабый, поначалу приятный и почти знакомый. Некоторые подумали, что не ко времени расцвели крокусы, другим показалось, что это пахнут какие-то полевые цветы без названия, обычно желтые, иногда белые, из первоцветов. Запах, при всей своей приятности, был немного удушающим. Первыми это почувствовали астматики: у них началась одышка, затрудненное дыхание. Те, которые про астму ничего не знали, в четверг ничего особенного не почувствовали: запах повседневной кухонной жарки все перебивал.

Легли спать как обычно, а к утру пятницы проснулись от духоты и кинулись отворять окна, чтобы впустить побольше воздуха с улицы, но происходило ровно наоборот: остатки домашнего воздуха выпорхнули из комнат, и дышать стало совсем трудно. Все до одного как будто стали астматиками, лица у всех покраснели, начался кашель, похожий на собачий лай. Собаки, к слову сказать, как будто не замечали изменения воздуха, равно как кошки и другие животные. Птицы даже оживились, а может, просто осмелели...

Запах все усиливался, и садоводы завели в сети дискуссию, в результате которой пришли к заключению, что запах более всего похож на тот, который издает болиголов в начале цветения. Некоторые находили в этом запахе какой-то мышиный оттенок. К субботнему утру разговоры об оттенках запаха сменились совсем другими — хотя запах усиливался и становился все неприятнее, но еще более неприятным было то, что люди почувствовали, как тяжелеют ноги, ломит мышцы, а к полудню напали мучительные судороги.

К субботнему вечеру судороги закончились, потому что больше не осталось мышц, способных к сокращению. Все люди умерли. Домашние животные сразу же одичали, дикие процветали. Растения мощной зеленой массой покрыли остатки городов, железных дорог, аэропортов. Поля заросли прекрасным здоровым лесом, и над всем этим зеленым великолепием стоял мощный запах болиголова и белены...

Это был конец человеческого мира, но никто об этом не узнал.

Все умерли.

Земля

В четверг после полудня все приглашенные геологи съехались в Каталонский университет в Барселоне. Задержалась только группа из Антарктического союза по причине уважительной и всем понятной — пришлось вылетать из Антарктиды на вертолетах, которые были медлительными и плохо управляемыми. Когда они приземлились в ближайшем к Южному полюсу аэропорту Пунт Аренас, по рации сообщили, что аэропорт Артуро Мерино Бенитес в Сантьяго, куда они направлялись, провалился. Пришлось строить новый замысловатый маршрут. На заседание успели.

Заседание было экстренным: по всей планете последние месяцы были зафиксированы невиданные прежде смещения почвы, провалы и проседания.

У каждого из геологов — собрались самые знающие заслуженные и уважаемые профессионалы — была своя теория относительно этого нового явления, и до позднего вечера они не расходились.

Всю ночь на пятницу и весь день до вечера ученые провели в дискуссиях, которые подогревались новыми экстренными сообщениями: провалился город Уфа на Южном Урале, город Коголето на побережье Лигурии, город Потсдам на востоке Германии в земле Бранденбург…

В субботу утром начали составлять карту бедствия, чтобы понять, существует ли какая-то логика в этой цепи катастроф. Ученые едва успевали наносить на карту новые точки, поскольку сообщения о новых провалах почвы опережали их возможности по обработке данных. Самое поразительное, что они не могли локализовать эпицентра этого грандиозного геологического явления: одновременно провалилась высочайшая гора Андских Кордильер Аконкагуа и находящаяся в другом конце мира в Тибете гора Гурла-Мандхата…

Они были так увлечены работой, что пропустили сообщение местного радио о том, что земля, на которой раскинулся прекрасный и просторный город Барселона, покрылась трещинами, трещины эти растут на глазах и в городе объявлена эвакуация.

В ночь на субботу вместе с городом Барселоной провалилась и улица Виа де ла Кортс Каталанес, на которой находился географический факультет университета. Барселона была одним из последних городов на карте исчезнувшего материка. Да и вообще никаких материков больше не осталось. Но понимать это было некому.

Это был конец человеческого мира, и никто об этом не узнал. Все умерли.

Химия

В четверг после полудня состоялось тайное заседание секретной службы США ФБР и секретной службы России ФСБ с одним и тем же протоколом: рассматривалась возможность враждебного вмешательства противника во внутренние — очень внутренние! — дела государства. Вопрос был деликатный, можно сказать, интимный. Огромные мусорные полигоны, расположенные в укромных местах страны, в затерянном на севере России Шиесе или в такой же симметричной дыре в Техасе, в Сьерра-Бьянке, уже несколько недель распространяли вокруг на много миль и километров нестерпимую вонь. Обе сверхдержавы сразу же догадались, что это потенциальный противник пошел в наступление, используя не обыкновенное ядерное оружие, а какой-то новый, особо подлый прием.

Заседание еще не закончилось, когда поступило экстренное совершенно секретное сообщение, что свалки покрылись странным стеклянным наростом, который начал разрастаться с удивительной скоростью.

Для экспертизы немедленно привлекли ученых физхимиков, и к утру пятницы совершенно независимо американские ученые из Национального института здравоохранения в Вашингтоне и российские ученые из научного центра РАН в Пущине сделали экстренный анализ срочно доставленных образцов стекловидного тела и выяснили, что это новое неизвестное прежде науке высокомолекулярное вещество произошло в результате полимеризации низкомолекулярных веществ различного происхождения. Такого цепного процесса полимеризации никогда прежде не наблюдали.

Пока ученые обсуждали причины и последствия этого необъяснимого явления, неизвестная миру стеклянистая материя неудержимо распространялась из своих помоечных источников, заливая поля, леса, деревни и города, которые встречались на пути этого искристого и вонючего потока.

К вечеру пятницы во все концы планеты летели сообщения о подлом и хитром нападении врага. Как полагали американцы, напали русские. Русские были уверены, что это происки американцев.

В ночь с пятницы на субботу мировая паутина интернета замерла.

В субботу утром стеклянный поток покрыл все материки и океаны планеты, и восшедшее утром солнце осветило сияющий стеклянный шар, отливающий всеми оттенками зелени — от ярко-бирюзовой до цвета бутылочного стекла. Это была Земля, самая красивая из планет Солнечной системы. Жаль только, что никто не мог этого увидеть. Разве что Господь Бог…

Это был конец человеческого мира, но смотреть на эту красоту было некому.

Все умерли.

Эпилог

Бóльшую часть жизни я прожила в Москве. Я сменила там семь квартир — от шестнадцатиметровой комнаты в коммунальной квартире, где кроме нашей семьи проживало еще семь семей, до отдельной квартиры в так называемых писательских домах в престижном районе Москвы. Одна из моих старших подруг, вернувшаяся в Россию из эмиграции в начале шестидесятых годов и попавшая впервые в жизни в коммунальную квартиру, как-то обронила фразу, что "коммуналка — опыт христианской жизни". Не стану утверждать, что жизнь в коммуналке — опыт именно христианской жизни, но то, что этот опыт социализации, опыт жизни в очень плотном обществе, где расстояние между его членами так мало, что создается ощущение духоты, — это я хорошо помню.

В Москве я живу в том самом районе, куда более ста лет тому назад приехал из Смоленска с молодой женой мой дед. В те годы наш район был окраиной города, а в наше время — почти центр. Я планировала прожить в этом месте до конца жизни, но есть поговорка, что Господь Бог улыбается, когда слышит о наших планах.

Сегодня я живу в Берлине. Это один из самых комфортных, спокойных и благоустроенных городов Европы. Тот район, где мы живем, на месте снесенной Берлинской стены, относительно новой и вполне "квадратной" планировки, и только протекающая рядом река изгибами русла придает некоторую прелесть его геометричности.

Квартира, в которой мы живем, большая, двухкомнатная. В одной из комнат мой муж, художник Андрей Красулин, устроил себе мастерскую: пол застелен бумагами, на стенах висят рисунки и наброски. А я со своим компьютером, как всегда, на кухне.

Пытаемся сделать эту квартиру своим домом. Обживаемся. Купили книжный шкаф и начинаем его заполнять. Купили в комиссионке красивую вышитую картину на ткани, которая радует глаз: в обрамлении гранатов лежит спящая восточная красавица, а вокруг нее умиленные наблюдатели. Да и сама я такой же наблюдатель, как эта спящая красавица. Только что не сплю. Сон и правда нейдет — утро начинается с просмотра новостей, и вечер заканчивается тем же.

На днях я вернулась из поездки на Канарские острова, где получала премию, и, пожалуй, самым важным итогом этой поездки была не сама премия, а именно ощущение, когда села в самолет, чтобы лететь в Берлин, что я лечу “домой”. К этому надо еще привыкнуть.

Безумие продолжается. Миллионы людей, оставившие свои дома, пересекают границы разных государств в поисках спокойной жизни. Границы закрываются. Толпы людей, среди которых, судя по последним фотографиям, большинство мужчин, пытающихся избежать мобилизации.

А у меня теперь одна надежда и одна мечта: дожить до конца этого военного безумия и вернуться в Москву, на Аэропортовскую улицу, в тот привычный и любимый мир, где я чувствую себя “на своем месте”.

Людмила Улицкая
Моё настоящее имя
Истории с биографией

18+

Содержит нецензурную брань

Главный редактор Елена Шубина

Художник Андрей Бондаренко

Корректоры Надежда Власенко,
Дарья Гаврон

Компьютерная верстка Елены Илюшиной

Подписано в печать 16.11.2022. Формат 84×108/32.
Усл. печ. л. 15,12. Тираж 17 000 экз. Заказ 6258/22.

Отпечатано в соответствии с предоставленными материалами в ООО “ИПК Парето-Принт”, 170546, Тверская область, Промышленная зона Боровлево-1, комплекс № 3А, www.pareto-print.ru

Общероссийский классификатор продукции
ОК-034-2014 (КПЕС 2008); 58.11.1 — книги, брошюры печатные

Произведено в Российской Федерации
Изготовлено в 2022 г.

ООО “Издательство АСТ”
129085, г. Москва, Звёздный бульвар, дом 21, строение 1, комната 705, пом. 1, 7 этаж
Наш электронный адрес: www.ast.ru
E-mail: ask@ast.ru
Интернет-магазин: www.book24.ru

“Баспа Аста” деген ООО
129085, Мәскеу қ., Звёздный бульвары, 21-үй, 1-құрылыс, 705-бөлме, 1 жай, 7-қабат
Біздің электрондық мекенжайымыз: www.ast.ru
E-mail: astpub@aha.ru

Интернет-магазин: www.book24.kz
Интернет-дүкен: www.book24.kz
Импортёр в Республику Казахстан ТОО “РДЦ-Алматы”.
Қазақстан Республик сындағы импорттаушы “РДЦ-Алматы” ЖШС.
Дистрибьютор и представитель по приему претензий на продукцию
в Республике Казахстан: ТОО “РДЦ-Алматы”

Қазақстан Республикасында дистрибьютор және өнім
бойынша арыз-талаптардықабылдаушыныңөкілі
“РДЦ-Алматы” ЖШС, Алматы қ., Домбровский көш., 3 “а”, литер Б, офис 1.
Тел.: +8(727) 2515989, 90, 91, 92, факс: +8(727) 2515812, доб. 107
E-mail: RDC-Almaty@eksmo.kz
Өнімнің жарамдылық мерзімі шектелмеген.

Өндірген мемлекет: Ресей